# BEKEN OF COWES

## LES NOUVEAUX
### *Pur-Sang*
### *de l'océan*

# Beken of Cowes

## LES NOUVEAUX
## *Pur-Sang de l'océan*

TEXTE DE
Bob Fisher

Traduit de l'anglais par
Denyse Malice

# Albin Michel

The New Ocean Thoroughbreds
© 1988 Beken of Cowes
Harrap Limited, Londres

*Traduction française :*
© Éditions Albin Michel S.A., 1988
22, rue Huyghens, 75014 Paris.

Dépot légal : Octobre 1990
N° édition : 11362.

ISBN : 2-226-03320-3

Mise en pages : Michael R. Carter.

Imprimé et relié à Hong-Kong
en accord avec Regent Publishing.

Liste des abréviations :

IOR    International Offshore Rule
IYRU   International Yacht Racing Union
RORC  Royal Ocean Racing Club
SORC  Southern Ocean Racing Conference, Florida.

Les fiches techniques des voiliers présentent les caractéristiques du bateau à la date à laquelle il a été photographié.

*Page 2 :* Cowes, le port.
*Ci-dessus :* L'Admiral's Cup.

# SOMMAIRE

# Préfaces de
# BEKEN OF COWES

Je suis au Grand Prix de Brest. Le jeune Philippe Monnet vient d'arriver sur son trimaran *Kriter*. Il a l'air de rentrer d'une partie de pêche. En fait, il vient de boucler le tour du monde en solitaire et sans escale en 129 jours.

Dans le lointain, des multicoques *high tech*, mis à l'eau quelques jours auparavant, s'approchent rapidement dans une lutte serrée pour les honneurs de la ligne. Chacun d'eux a l'air d'un énorme albatros planant très bas sur l'eau. En quelques secondes, ces géants dont l'envergure dépasse les 18 mètres sont sur nous. Marchant à 25 nœuds par faible brise, ils présentent un défi de taille au photographe de mer.

Cela fait cinquante ans que je photographie des bateaux. Il me semble que pendant cette période l'architecture navale est passée du sublime au ridicule pour revenir au sublime. Les coques ont évolué du bois vers le polyester, l'acier et l'aluminium, et les voiles du coton égyptien au film Mylar en passant par le nylon. Et si les vétérans de l'architecture navale sont toujours à l'œuvre, l'ère technologique a permis à de nombreux jeunes architectes de se distinguer. Mon fils Kenneth et moi-même avons eu le plaisir de rencontrer bon nombre des meilleurs architectes du monde et le privilège de discuter avec les équipages qui mènent leurs bateaux. Je suis ravi de constater que leur enthousiasme n'a pas varié tout au long des années — à une différence près. J'ai cru comprendre qu'on donne plutôt de la viande crue que de la bière aux équipiers de pont d'aujourd'hui!

En cette année de notre centenaire, *Beken of Cowes* est fier de présenter les meilleurs bateaux de course du monde dans ce nouvel ouvrage, *Les Nouveaux Pur-Sang de l'océan*. Nous vous souhaitons *Bon Voyage!*

A. Keith Beken
**Membre de l'Académie royale de photographie**

Beaucoup de gens pensent que le nom *Beken* est celui d'un vieux marin qui a pris ses premières photos en 1888 et auquel une longévité miraculeuse permettrait de continuer à le faire aujourd'hui en sautant d'une vedette rapide dans un hélicoptère. Il n'était donc pas facile de se faire accepter comme le « sang neuf » dans la lignée des *Beken of Cowes* et de suivre comme je l'ai fait les traces de mon grand-père et de mon père, Frank et Keith Beken.

Frank Beken a dû déployer des trésors d'imagination pour parvenir à photographier les grands yachts de manière nette. C'est lui qui décida de remplacer le vieil appareil à soufflet par un boîtier équipé d'un obturateur à pales qui se déclenchait en mordant une poire de caoutchouc. Et ces énormes goélettes ou ces classes J, c'est depuis un canot à avirons ou une vedette qui marchait à 8 nœuds qu'il devait les photographier. Quelle différence quand nous pouvons aujourd'hui utiliser les meilleurs appareils Rollei et Hasselblad et deux vedettes qui montent à 35 nœuds ! Et pourtant le style des photos Beken n'a pas tellement changé. S'il y a aujourd'hui beaucoup plus de bateaux, qui en outre ont été souvent dessinés directement sur un clavier d'ordinateur, l'œil derrière l'appareil photo reste le maître lorsqu'il s'agit de composer une image plutôt qu'un instantané.

J'ai eu récemment l'occasion de comparer des photos prises pendant l'été de 1987 de *Velsheda*, *Vagrant*, *Sumurun* et *Altair* qui viennent d'être restaurés, avec des clichés pris par mon grand-père. Ils se ressemblent étrangement. La seule différence semble être qu'aujourd'hui nous disposons de tous les avantages du film couleur. Mais nombreux sont ceux qui répondront à cela que la chaleur des teintes brun sépia de ses études ne peut pas être surpassée, même en Technicolor.

Les pages de ce livre se révéleront sans doute très émouvantes pour ceux qui naviguent, de même qu'ils ne manqueront pas d'être passionnés par le texte de Bob Fisher. Quant à moi, elles me remettent en mémoire les circonstances dans lesquelles ces photos ont été prises. Je me souviens avoir été secoué comme un prunier dans un minuscule hélicoptère au-dessus de l'océan Indien au large de Perth où je photographiais les 12 Mètres de la Coupe de l'America, avoir failli couler dans une vedette de location lors de la Sardinia Cup, avoir dû affronter un vent force 9 pour photographier des maxis en 1983 et même avoir vu des requins tourner autour de mon annexe en caoutchouc aux Canaries ! D'ailleurs, n'est-il pas vrai que tous ceux qui naviguent ont quelque chose à raconter et fort heureusement pour nous chaque photo raconte sa propre histoire.

**Kenneth J. Beken**
**Membre de l'Académie royale de photographie**

# Soixante ans de photo

Bien que je ne fasse de la photo de mer que depuis vingt ans, j'ai souvent l'impression que cela en fait cent. C'est sans doute parce que tous les jours un nombre considérable de photos signées *Beken* passent sous mes yeux, certaines prises hier seulement, d'autres qui décrivent les cent années de voile immortalisées par les objectifs de mon père et de mon grand-père.

Le style du «portrait de marine» semble avoir peu changé en trois générations. Les conditions nécessaires pour réussir une photo de bateau aujourd'hui ne sont pas très différentes de ce qu'elles étaient au début du siècle. S'il est vrai que les bateaux ont changé, la façon de leur tirer le portrait est restée la même. A ce propos, le lecteur sera sans doute intéressé par ce que disait Frank Beken dans les années 20 sur la photographie de mer.

Kenneth J. Beken
Membre de l'Académie royale de photographie

## QUELQUES MOTS SUR LA PHOTOGRAPHIE DES YACHTS

L A PHOTOGRAPHIE de marine est un art qui nécessite de longues années d'apprentissage et d'études. Pour photographier un voilier, l'opérateur doit avoir des connaissances en matière de navigation, il doit être capable de voir qu'une voile n'est pas bordée correctement, qu'il y a sur le pont des pièces d'armement qui ne sont pas à leur place, mais il doit aussi pouvoir indiquer le cap à suivre pour que le bateau soit bien éclairé. Dans de bonnes conditions de temps, nous pouvons garantir un bon résultat, car les objectifs et les obturateurs modernes sont à la hauteur des bateaux les plus rapides. Un bateau sous voiles doit toujours fournir à l'opérateur autant d'occasions que possible de faire des clichés, car souvent une accalmie fait se redresser le bateau juste au moment où l'on déclenche, ou bien il loffe un peu trop en faisant fasseyer le foc d'étai. Le bateau devrait manœuvrer de façon à se présenter au photographe sous trois angles principaux : étrave sous le vent, flanc sous le vent et hanche sous le vent. Dans la mesure du possible, on doit s'être mis d'accord à l'avance sur ces trois positions. La lumière doit traverser les voiles d'avant pour en faire ressortir les courbes ainsi que celles de la grand-voile. L'éclairage est de toute première importance et ne doit pas tomber directement sur les voiles, car cela fait ressortir les petits plis et les poches dues aux lattes. Il ne faut pas que le navire serre trop le vent, mais qu'au contraire il prenne autant de vitesse que possible. Quand il se rapproche de l'opérateur, il est impératif que le barreur suive une route absolument droite en laissant à celui-ci le soin d'établir la distance du bateau à laquelle il veut se trouver et dont il doit être le seul juge.

*Photos de yachts et de marine*
Catalogue de Beken & Fils, Cowes,
île de Wight, 1928.

# Introduction

## de Bob Fisher

« S'il est beau, il sera bon marcheur », c'est un vieux marin qui m'a donné en ces termes ma première leçon d'architecture navale. Elle fut suivie de beaucoup d'autres, consacrées à m'expliquer ce qui était beau. J'ai eu de la chance. J'ai passé mon enfance à Brightlingsea, petit port de plaisance et de pêche situé au nord de la Tamise où beaucoup de marins portaient encore à l'époque d'épais pulls de Guernesey brodés de noms prestigieux comme *Shamrock* ou *Endeavour*, ces immenses yachts des années 1920-1930. Et quelques-uns de ces hommes avaient même participé à la fameuse grève de l'équipage du challenger de la Coupe de l'America de 1934 à Sir T.O.M. Sopwith qui demandait à recevoir un salaire pour compenser la perte de la saison de pêche. Ils se plaisaient à évoquer leurs souvenirs et j'étais un auditeur très attentif.

A leur contact, j'ai peu à peu compris pourquoi certains bateaux faisaient toujours mieux que d'autres et pourquoi certains seraient toujours mauvais marcheurs. Pendant longtemps j'ai été marqué par la doctrine de ces marins professionnels qui évaluaient les performances d'un bateau sans tenir aucun compte de l'élément humain, sauf pour affirmer que les amateurs n'avaient pas leur place en course. « N'importe qui peut tirer sur une écoute », disaient-ils, « mais il faut être marin pour savoir la choquer ». Il y a encore une part de vérité là-dedans, même si aujourd'hui on attache beaucoup plus d'importance à l'influence de l'équipage sur les performances. Des hommes compétents peuvent transformer un bateau de manière incroyable, comme le firent en 1985 Harold Cudmore et ses équipiers sur *Phoenix*. Il n'en reste pas moins vrai que l'ingrédient de base de la réussite reste le bateau qui doit être capable de marcher aussi bien que ses concurrents.

Depuis que j'ai commencé à m'intéresser aux yachts de course et de croisière, leur conception a considérablement évolué. Mon vieux mentor de tout à l'heure serait sans doute assez sceptique sur la « beauté » des bateaux rapides d'aujourd'hui, mais je me demande si nous ne sommes pas en train de revenir peu à peu à des formes qu'il considérerait comme correctes. Les francs-bords élevés, les tontures inversées et les élancements réduits à leur plus simple expression qui ont été de mise pendant longtemps ont produit des bateaux d'une laideur fonctionnelle difficile à accepter, car je pense que pour être beau un bateau doit être élégant. En fait, que recherche un propriétaire sinon une certaine satisfaction qui, si elle n'est pas toujours d'ordre esthétique, devrait au moins viser à ce que le bateau se distingue soit par ses performances, soit par la pureté de ses lignes ?

Il s'en serait fallu de beaucoup il y a quelques dizaines d'années pour que l'on reconnaisse quelque mérite aux carènes fonctionnelles et Sir Thomas Lipton aurait certainement haussé les épaules si on lui avait dit que *Shamrock IV*, son « vilain petit canard » (le mot est de l'architecte du bateau Charles E. Nicholson), était son meilleur challenger pour la Coupe de l'America. Et pourtant, c'est à ce bateau très fonctionnel à propos duquel Alfred F. Loomis écrivait : « On dirait un croisement entre une tortue et un cuirassé » que Lipton a dû toutes ses victoires dans la Coupe. Les vieux loups de mer, dont Tom Diaper, critiquaient vivement l'équipage de *Shamrock IV* et en particulier le fait qu'il y avait trop d'amateurs aux postes de commandement. Et Diaper de renchérir : « Je choisis tout de suite 35 hommes avec seulement un amateur qui tiendrait le chronomètre, un Américain pour représenter son pays et moi comme skipper et je vous garantis que je bats *Resolute*. » Paradoxalement, le skipper de *Resolute* était Charles Francis Adams, encore un amateur ! Il y a aujourd'hui beaucoup d'hommes de la trempe de Diaper, mais parmi l'élite de la course au large seuls quelques-uns sont capables de performances vraiment supérieures à la moyenne. Ce sont ceux pour lesquels le moindre détail a de l'importance.

Je doute fort que mon professeur d'antan apprécierait la façon dont sont décorées actuellement la plupart des coques. Pour lui un bateau devait être blanc ou

*Ci-contre :*
Spinnakers séchant dans le port de Marseille.

Porto Cervo, en Sardaigne.

à la rigueur noir. Ceux de Sir Thomas Lipton étaient verts, avec pour seul effet décoratif la dorure à la feuille du nom du bateau et du liston terminé par quelques volutes. Sur ces bateaux, le pont était lavé à grande eau chaque matin et une fois par semaine frotté à la brique. Avant le petit déjeuner, il fallait que les vernis aient été passés à la peau de chamois et les cuivres bien astiqués. Pour la majorité des propriétaires d'alors, la qualité était une question d'aspect extérieur. Aujourd'hui, les couleurs voyantes des coques ont la même signification que la peinture de guerre des Peaux-Rouges, elles annoncent les hauts faits du bateau et permettent d'identifier rapidement son propriétaire.

Les machines de course ne font aucune concession au confort, se contentant le plus souvent du minimum d'aménagements exigé par le règlement. Comme de toute façon c'est sur le pont que les équipiers doivent se trouver pendant la course pour la meilleure répartition du poids, ce n'est qu'après l'arrivée que l'on se nourrit. Je ne pense pas que les marins d'il y a cinquante ans auraient apprécié. Eux, ils vivaient à bord, mangeaient bien et travaillaient dur.

En fait, les bateaux d'aujourd'hui ont un meilleur rendement, sont plus rapides et plus faciles à manœuvrer et passent plus de temps hors de l'eau qu'à flot. Ils ne s'en portent pas plus mal à une époque où l'on manque de place dans les ports.

*Ci-contre :*
Kialoa IV (voir p. 85).

Il paraît qu'il y a de nombreuses années un propriétaire a démontré qu'une place de ponton lui revenait plus cher que de faire gruter son bateau après chaque sortie. Tous les autres ont suivi aveuglément sans faire leurs comptes. D'ailleurs, c'est bien connu, si l'on demande combien ça coûte c'est que l'on n'a pas les moyens d'avoir un yacht de course.

Les bateaux d'aujourd'hui sont plus marins et ceux qui ont hurlé le contraire après le Fastnet de 1979 étaient mal informés. Pour qui a navigué sur des bateaux d'il y a quarante ans ou plus, il est évident que leurs homologues modernes qui flottent sur — plutôt que dans — l'eau offrent une sécurité supérieure lorsque le vent atteint le sommet de l'échelle Beaufort. On n'entend plus parler de bateaux retournés par des lames et coulés. Même après des avaries importantes, ils arrivent à rejoindre un port et cela malgré le fait qu'ils sont menés plus durement. Ce que nous a appris le Fastnet de 1979, c'est qu'il vaut mieux rester à bord que d'abandonner le bateau pour le radeau. En d'autres termes, mieux vaut monter dans un radeau que d'y descendre. Alors que jadis on pouvait s'abriter derrière une pointe pour laisser passer un coup de vent et malgré tout gagner la course, on attend des bateaux modernes qu'ils remontent au près par n'importe quel temps. Cela sans doute au prix d'un certain inconfort, mais les bateaux en sont capables et leurs équipages prêts à le faire.

La course ou la croisière ne consistent pas seulement à affronter les éléments, mais plutôt à les utiliser à son avantage et cela un bateau le fera d'autant mieux qu'il aura été mieux dessiné et construit.

Après une période d'évolution rapide dans les années 70, l'architecture navale a connu une certaine stagnation au début des années 80, surtout à cause des contraintes imposées par les différentes jauges. Puis quelques architectes ont produit des innovations spectaculaires, tel Ben Lexcen avec sa percée dans les 12 Mètres, une classe où jusqu'à l'arrivée de la quille à ailettes la jauge très stricte conduisait à concevoir des bateaux relativement similaires. Les 12 M JI se développent maintenant de manière très diversifiée et hautement sophistiquée dans le cadre d'une jauge qui date de 1906. D'autres jauges sont exploitées à fond par les architectes jusqu'à ce qu'elles soient modifiées pour fermer les brèches ainsi ouvertes. C'est un jeu où les uns doivent être prudents et persévérants tandis que dans le camp d'en face on s'efforce de rester pragmatique tout en rongeant son frein. Actuellement, les seconds ont choisi d'innover et nous sommes en train d'assister à la naissance d'une nouvelle race de bateaux, de course aussi bien que de croisière, conçus hors de toute

Le port anglais d'Antigua.

Le port de Victoria, au Canada.

jauge, ce qui permet aux architectes de faire progresser leurs théories pour obtenir des bateaux rapides et bons louvoyeurs. C'est peut-être le début d'un nouvel âge d'or de l'architecture navale.

Et pendant tout ce temps, les appareils de la famille Beken enregistrent les transformations du monde de la voile, non seulement dans La Mecque de Cowes mais partout dans le monde où les gens prennent plaisir à naviguer. La personnalité même des auteurs fait de leurs photos des documents de référence. Les images que nous livrent les Beken ne laissent pas passer un seul détail important. Et ce n'est pas ceux qui comme moi se sont fait prendre à un moment qu'ils préféreraient oublier qui me contrediront. On peut presque dire que sur une photo des Beken, un bateau est encore plus beau que dans la réalité.

La qualité de leurs photos est reconnue dans le monde entier. Ainsi, je n'ai pas été surpris de les voir sur les murs du Norfolk Hotel, le bistrot favori des marins de Fremantle. On les trouve dans des palais royaux et dans des bouges de mauvaise réputation à Bangkok. En fait, elles constituent un genre artistique bien à part. Les photos des Beken sont aussi facilement identifiables que les bateaux qu'elles représentent, cela fait un siècle qu'il en est ainsi et qu'elles font partie intégrante du monde de la voile.

# Kookaburra III

On sait de source sûre que Iain Murray avait pris contact avec le syndicat d'Alan Bond pour lui proposer ses talents comme skipper pour la vingt-sixième défense de la Coupe de l'America. Après tout, après que son propre bateau *Advance* eut été éliminé, il avait déjà travaillé avec eux à Newport comme barreur de *Challenge 12*, autre bateau australien éliminé qui était devenu le lièvre d'*Australia II*. Murray dit qu'il n'a jamais eu de réponse d'Alan Bond, mais que de toute façon il avait d'autres projets.

C'est lui qui a incité Kevin Parry à commanditer un second syndicat de l'Australie de l'Ouest. Avec un budget passant de 6 millions de dollars australiens à plus de 25 millions, ils ne sont finalement pas passés loin de la victoire, un résultat suffisamment positif en tout cas pour que Parry remette sur pied un nouveau défi pour ramener à Fremantle la Coupe de l'America.

Pour le syndicat de Parry, Murray était plus qu'un skipper. C'était à la fois le directeur général du projet et l'architecte, en collaboration avec John Swarbrick, des trois *Kookaburra*. Doué d'un esprit très mathématique et capable d'absorber les multiples facettes des technologies de pointe, c'est lui qui a été la cheville ouvrière des recherches effectuées au bassin de carènes de Wageningen aux Pays-Bas et qui a recruté les meilleurs spécialistes dans tous les domaines pour les rassembler au siège du syndicat de Mews Road à Fremantle, à quelques pas de celui d'Alan Bond.

Les deux derniers *Kookaburra* se ressemblaient point par point, ce qui permettait de tester les innovations en grandeur réelle en modifiant seulement l'un des deux bateaux. C'est ainsi que *Kookaburra II* fut équipé d'une nouvelle quille juste avant les épreuves de la Coupe pour voir si cela le rendrait plus rapide que *Kookaburra III*. Cela lui permit d'écraser *Australia IV* par cinq victoires à zéro lors des éliminatoires des *defenders*, mais il ne put malheureusement rien faire contre *Stars & Stripes*. Dennis Conner le battit 4 à 0 lors de la finale avec un écart moyen d'une minute et demie. Le 12 Mètres à la coque jaune d'or n'était pas assez fort pour repousser l'envahisseur.

| Nom du bateau : | KOOKABURRA III |
|---|---|
| Nationalité à la date de la prise de vue : | Australie 1986 |
| Propriétaires : | Taskforce '87 Ltd, Parry Corp. Ltd |
| Skipper : | Iain Murray |
| Architectes : | Murray & Swarbrick Yacht Design |
| Chantier : | Parry Boatbuilders |
| Matériau : | Aluminium |
| Année de construction : | 1986 |
| Longueur hors tout : | 20,50 m |
| Longueur à la flottaison : | 14 m |
| Largeur au maître-bau : | 3,70 m |
| Tirant d'eau : | 2,70 m |
| Déplacement : | 26 t |
| Rating : | 12 M JI |
| Voileries : | North/Sobstad |
| Surface de voiles : | 166 m² |

# America II et KZ 3

| Nom du bateau : | AMERICA II et KZ3 |
|---|---|
| Nationalité à la date de la prise de vue : | États-Unis 1986 |
| Propriétaire : | America II Syndicate |
| Skipper : | John Kolius |
| Architectes : | Sparkman & Stephens |
| Chantier : | Williams & Manchester |
| Matériau : | Aluminium |
| Année de construction : | 1985 |
| Longueur hors tout : | 19,81 m |
| Longueur à la flottaison : | 14,02 m |
| Largeur au maître-bau : | 3,81 m |
| Tirant d'eau : | 2,74 m |
| Déplacement : | 28,349 t |
| Rating : | 12 mètres |
| Voilerie : | Divers |
| Surface de voiles : | 162,5 m² |

*America II* — celui-ci est US 42 — représente une série de trois bateaux dessinés par le cabinet Sparkman & Stephens sous la direction de Bill Langan à Madison Avenue. Tous trois ont été construits en aluminium par le chantier Williams & Manchester de Newport, Rhode Island, pour essayer de ramener la Coupe de l'America dans cette pièce octogonale du New York Yacht Club où elle était restée pendant tant d'années, jusqu'à ce que les kangourous viennent la chaparder.

L'équipage du New York Yacht Club a passé un temps considérable à s'entraîner au large de Fremantle, sachant bien qu'il était extrêmement important de le faire dans les eaux mêmes où auraient lieu les régates de la Coupe. Après tout, les challengers précédents ne se plaignaient-ils pas en permanence de ce que les Américains avaient tous les atouts en main parce qu'ils connaissaient parfaitement le plan d'eau? C'est peut-être la raison pour laquelle ils se sont montrés parfaitement à la hauteur lors du Championnat du monde des 12 Mètres qui s'est déroulé à Fremantle un an avant les épreuves de la Coupe. *America II* s'y est classé troisième et sans deux erreurs humaines aurait même pu remporter le championnat.

Quant à *KZ 3*, il a été le premier 12 Mètres en plastique, le choix du matériau ayant été gardé secret jusqu'au jour de la mise à l'eau. Il fut en partie construit dans un chantier réputé pour ses réalisations en aluminium, McMullen & Wing, à Auckland. Bruce Farr pour le gréement, Laurie Davidson pour la coque et Ron Holland pour la quille avaient réuni leurs talents pour produire ces *plastic fantastics* (*KZ 3* et son sistership *KZ 5*) qui sortaient franchement des sentiers battus. La comparaison avec *America II* permet ici notamment de remarquer distinctement l'importance très novatrice de la largeur au maître-bau.

# Condor of Bermuda

*Condor of Bermuda* a été dessiné par John Sharp et construit en bois par le chantier Emsworth pour la Course autour du Monde de 1977 où il avait pour coskippers Robin Knox-Johnston et Leslie Williams. Financé par Bob Bell et sponsorisé par les courtiers d'assurances C.E. Heath, il prit au dernier moment le nom de *Heath's Condor*, déroutant ainsi de nombreux journalistes de voile étrangers qui cherchèrent à faire le rapprochement avec l'ancien Premier ministre britannique passionné de voile, Edward Heath.

Juste avant de changer de nom, le bateau avait déjà changé de mât. Trois jours avant le départ, un mât en fibre de carbone avait remplacé le précédent, en aluminium. Aucun essai n'ayant pu être fait, c'est l'équipage qui en supportera les conséquences lorsque le mât cassera dans la première étape et que *Heath's Condor* devra s'arrêter à Monrovia, anéantissant ainsi ses chances de victoire, d'autant plus que la plupart de ses équipiers tomberont malades.

À la fin de la Whitbread, Bell reprit les choses en main et le bateau participa à toutes les courses de maxis, améliorant par exemple le record du Fastnet lors de la fameuse édition de 1979. C'est dans cette course, sur le chemin du retour après le passage des Scillies, que *Condor* partit en aulofée, allant même jusqu'à se retrouver à 180 degrés de la route, bout au vent, spi pris dans les barres de flèche. Peter Blake qui se trouvait à la barre sentit que le bateau commençait à partir en marche arrière et inversa alors la barre jusqu'à revenir en route et à remettre du vent dans les voiles. Le spinnaker se gonfla d'un seul coup et le bateau redémarra en trombe en direction de Plymouth.

*Condor* fut ensuite emmené à Sydney où il participa à la course Sydney-Hobart, puis fut révisé de fond en comble au chantier McMullen & Wing d'Auckland. C'est en rentrant par le Pacifique qu'il s'échoua sur un atoll désert. Renfloué, il sera reconstruit au chantier d'Auckland qui en profitera pour apporter de nombreuses modifications à la carène. Il recommencera ensuite à participer à toutes les grandes courses de maxis.

Actuellement, *Condor* ne court plus et a été entièrement réaménagé pour la croisière de luxe.

| Nom du bateau : CONDOR OF BERMUDA | |
|---|---|
| Nationalité à la date de la prise de vue : | Bermudes 1979 |
| Propriétaire : | R. Bell |
| Skipper : | R. Bell |
| Architecte : | J. Sharp |
| Chantier : | Emsworth Shipyard |
| Matériau : | Bois |
| Année de construction : | 1977 |
| Longueur hors tout : | 23,50 m |
| Longueur à la flottaison : | 19,50 m |
| Largeur au maître-bau : | 5,60 m |
| Tirant d'eau : | 3,20 m |
| Déplacement : | 39,626 t |
| Rating : | 64 pieds IOR |
| Voilerie : | Butler Verner |

# *Lion New Zealand*

| Nom du bateau : | LION NEW ZEALAND |
|---|---|
| Nationalité à la date de la prise de vue : | Nouvelle-Zélande 1985 |
| Propriétaire : | P. Blake & Associates |
| Skipper : | P. Blake |
| Architecte : | R. Holland |
| Chantier : | T. Gurr |
| Matériaux : | Kevlar/balsa |
| Année de construction : | 1984 |
| Longueur hors tout : | 23,59 m |
| Longueur à la flottaison : | 19,96 m |
| Largeur au maître-bau : | 5,51 m |
| Tirant d'eau : | 4,18 m |
| Déplacement : | 35,024 t |
| Rating : | 68,6 pieds IOR |
| Voilerie : | Hood |
| Surface de voiles : | 295 m² |

« Loins », comme l'avait surnommé son équipage, était le quatrième bateau de Peter Blake pour la Course autour du monde, ici celle de 1985. Pour rester entre Kiwis, il avait choisi comme architecte Ron Holland, dont la réputation n'était plus à faire en matière de maxis et qui était en train de terminer une étude analogue pour la même course pour Robert James.

Blake était persuadé que la course serait gagnée par le bateau le plus durement mené. Il faut dire que dans l'édition précédente sur *Ceramco New Zealand* il avait réussi à dépasser *Flyer* qui était plus grand que lui peu après le passage du cap Horn en changeant continuellement de voilure. Il embarqua donc cette fois 17 équipiers, 3 de plus que sur les autres maxis. Malheureusement, la course se déroula dans des conditions plus clémentes et Blake dut se contenter de la seconde place.

# Condor
# (et Lion New Zealand)

Les différences entre un maxi de « grand prix » et un bateau de la même taille construit spécialement pour la Course autour du monde sont minimes mais très spécifiques. Les deux types de bateaux courent rarement ensemble, en fait ils n'en ont vraiment l'occasion qu'une fois tous les quatre ans quand les navigateurs hauturiers se retrouvent tous en Angleterre avant le départ de la Whitbread et qu'ils participent en général à la course du Fastnet et à la Channel Race. Il est encore plus rare que deux maxis de type différent, mais dessinés par le même architecte, se rencontrent, comme ce fut le cas ici pour *Lion New Zealand* et *Condor*, tous deux de Ron Holland, lors de la Channel Race de 1985.

*Condor* est le bateau que Bob Bell a fait construire pour remplacer son ancien maxi du même nom. La coque est de couleur prune foncé et construite à Penryn selon les procédés les plus récents des plastiques de haute technologie — Kevlar et fibre de carbone combinés — par une équipe constituée spécialement pour l'occasion.

Le bateau a connu de nombreux succès en course, notamment dans le Fastnet de 1983 où non seulement il s'est classé premier en temps réel (battant même le record de *Condor of Bermuda*), mais également en temps compensé. A Plymouth, la coupe du Fastnet était pleine à ras bord pour Bell et ses équipiers.

Les coureurs les plus connus ont navigué sur *Condor*. Et Dennis Conner s'est même trouvé dans une situation assez embarrassante lorsqu'il l'a fait talonner sur Hampstead Ledge alors qu'il était en tête des Seahorse Maxi Series de 1981. La marée baissait et malgré des manœuvres complexes et quelque peu désordonnées pour dégager le bateau, il ne put repartir qu'avec l'aide du moteur. Ces moments délicats furent enregistrés pour la postérité par une équipe de télévision dont le producteur, Jeremy Pallant, assure qu'il a fallu faire de nombreuses coupures dans la bande son afin de ménager les oreilles sensibles.

| Nom du bateau : | CONDOR |
|---|---|
| Nationalité à la date de la prise de vue : | Bermudes 1985 |
| Propriétaire : | R. Bell |
| Skipper : | R. Bell |
| Architecte : | R. Holland |
| Chantier : | Mid Ocean Marine |
| Matériaux : | Kevlar/carbone/tissu de verre type S |
| Année de construction : | 1981 |
| Longueur hors tout : | 24,48 m |
| Largeur au maître-bau : | 5,68 m |
| Tirant d'eau : | 3,97 m |
| Déplacement : | 34,437 t |
| Rating : | 70 pieds IOR |
| Voileries : | North/Sobstad |
| Surface de voiles : | 316 m² |

# Amazing Grace

| Nom du bateau : | AMAZING GRACE |
|---|---|
| Nationalité à la date de la prise de vue : | Canada 1985 |
| Propriétaire : | R. Herron |
| Skipper : | R. Herron |
| Architecte : | C. & C. |
| Chantier : | C. & C. |
| Matériaux : | Kevlar/balsa/Nomex |
| Année de construction : | 1980 |
| Longueur hors tout : | 13,61 m |
| Longueur à la flottaison : | 11,21 m |
| Largeur au maître-bau : | 4,10 m |
| Tirant d'eau : | 2,62 m |
| Déplacement : | 9,304 t |
| Rating : | 33,8 pieds IOR |
| Voilerie : | Hood |
| Surface de voiles : | 105,5 m² |

Ce bateau de 13,60 mètres dessiné par Cuthbertson & Cassian est typique des coques issues de la jauge IOR. En produisant des bateaux larges et dépourvus d'élancements, les architectes utilisent les paramètres d'une jauge complexe pour aboutir à des bateaux marins capables de courir dans un système de handicap.

Pour un bateau de course, *Amazing Grace* a eu une très longue carrière. Construit pour Roger Herron par le chantier C. & C. en juin 1980, il a participé aux régates de sélection de l'Admiral's Cup de l'été et du printemps suivant en Floride. Sélectionné pour 1981, il a couru à nouveau les éditions 83 et 85 de la Coupe.

Cette photo fut prise lors de l'Admiral's Cup de 1985 par un jour de vent frais et à une allure où ces gréements en tête sont légèrement désavantagés, car ils doivent la majeure partie de leur puissance à un spi instable par nature. Ici, l'équipage d'*Amazing Grace* a établi un génois numéro quatre sur l'étai avant, plutôt qu'une trinquette à l'intérieur du spi comme on le fait en général. Dans ces conditions de vent, il s'agit vraisemblablement de la voile d'avant qui sera utilisée au près, sans doute avec un ris dans la grand-voile.

# Antarès

Philippe Briand a dessiné *Antarès* en 1981 comme un « maxi de poche »*, une taille de bateau qui permet de s'amuser autant que sur les maxis classiques de 70 pieds de rating, tout en les battant souvent en temps compensé. C'est en tout cas ce qu'*Antarès* a démontré en gagnant les Seahorse Maxi Series lors de sa première saison.

On a pensé que Briand se lançait dans une voie très nouvelle en dotant cette taille de bateau d'un gréement fractionné. A l'époque, on ne trouvait au-dessus du *one tonner* que des gréements en tête, mais l'architecte avait énormément travaillé sur la conception technologique du mât en partant du principe que ce type de gréement était le mieux à même d'être bien contrôlé dans la brise, ce que l'on constate d'ailleurs parfaitement sur cette prise de vue.

*Antarès* est au près sous double étai et répond parfaitement à la barre comme Briand l'a voulu. L'équilibre du gréement est renforcé par la petite trinquette envoyée dans la fente entre le Solent jib et la grand-voile pour favoriser l'écoulement d'air. Ceci est encore plus important dans la mer formée rencontrée ici au large lors des Seahorse Series que dans les conditions plus calmes du Solent.

| Nom du bateau : | ANTARÈS |
|---|---|
| Nationalité à la date de la prise de vue : | France 1981 |
| Skipper : | Y. Pajot |
| Architecte : | Ph. Briand |
| Chantier : | Le Guen & Hémidy |
| Matériau : | Aluminium |
| Année de construction : | 1981 |
| Longueur hors tout : | 19 m |
| Largeur au maître-bau : | 5 m |
| Déplacement : | 18 t |
| Rating : | 53 pieds IOR |
| Voilerie : | Hood |
| Surface de voiles : | 240 m² |

\* Les maxis de poche font environ 5 mètres de moins que les maxis classiques. (N.d.T.)

# *Apricot*

| Nom du bateau : | APRICOT |
|---|---|
| Nationalité à la date de la prise de vue : | Royaume-Uni 1985 |
| Propriétaire : | A. Bullimore |
| Skipper : | A. Bullimore |
| Architecte : | N. Irens |
| Constructeur : | N. Irens |
| Matériaux : | Kevlar/carbone/époxy |
| Année de construction : | 1985 |
| Longueur hors tout : | 18,28 m |
| Longueur à la flottaison : | 18 m |
| Largeur : | 12,80 m |
| Tirant d'eau : | 2,75 m/1 m |
| Déplacement : | 5 t |
| Rating : | Multicoque de Formule II |
| Voilerie : | Hood |
| Surface de voiles : | 200 m² |

Tony Bullimore avait demandé à Nigel Irens de lui dessiner et de lui construire ce trimaran de 18 mètres. Pour ne pas sacrifier la solidité tout en gagnant un maximum de poids, Irens choisit le Kevlar, la fibre de carbone comme tissus et l'époxy comme matrice. En effet, il n'y a rien qui ralentisse plus un multicoque que le poids, à moins que ce ne soit un manque de raideur de la coque empêchant de souquer le gréement.

Ce choix lors de la construction a permis d'obtenir un bateau très rapide destiné principalement à des petites courses, mais prévu aussi pour des traversées rapides avec un équipage réduit. Le manque de place à l'intérieur limitant le nombre des équipiers pour une longue période.

Le bateau fut immédiatement couronné de succès puisque, avec Bullimore comme skipper et Irens comme équipier, *Apricot* gagna le Tour de l'Angleterre de 1985, par un temps très mitigé comportant notamment assez de vents forts pour éliminer quelques-uns des concurrents les moins bien dessinés ou les moins bien construits. La même année, *Apricot* dominera de bout en bout le Tour de l'Europe TAG où il gagnera chacune des huit étapes.

Pendant tout ce temps, jamais Irens et Bullimore n'arrêteront d'améliorer le gréement, sans doute l'un des mâts-aile les plus simples jamais vus sur un multicoque océanique. Irens l'avait également dessiné et construit selon les mêmes techniques que la coque et il était de très loin supérieur aux espars en aluminium extrudé de ses concurrents.

*Apricot* fut perdu pendant la Route du Rhum. Le bateau avait heurté une épave dérivante peu après le départ alors que les vents atteignaient force 9. Flotteur bâbord endommagé, il rentrait sur Brest lorsqu'il se mit sur les rochers à moins d'un mille du port et coula immédiatement. Tony Bullimore ne put se sauver qu'en se jetant à la mer et en grimpant le long des rochers pour atteindre le rivage.

En 1987, le record de la traversée de l'Atlantique d'ouest en est, du phare Ambrose Light de New York au cap Lizard en Cornouailles, appartient au trimaran de 22,86 mètres de Philippe Poupon, *Fleury-Michon*, également dessiné par Nigel Irens et dont les plans sont très inspirés de ceux d'*Apricot*. Le record est de 7 jours 12 heures et 50 minutes, soit 3.130 milles à une vitesse moyenne de 17,28 nœuds.

# Groupe d'admiralers

L'Admiral's Cup qui a lieu tous les deux ans est disputée par des équipes venant du monde entier. Pendant la Semaine de Cowes, trois bateaux par pays courent une série de cinq courses, trois triangles *inshore* et deux grandes courses. Les *inshores*, très spectaculaires, sont depuis 1983 un triangle dans le Solent et deux triangles olympiques courus juste à côté dans Christchurch Bay. Les grandes courses sont la Channel Race et le Fastnet.

Vu le nombre de *one tonners* qui participèrent à l'Admiral's Cup en 1985 (ce qui n'était guère surprenant puisqu'elle avait lieu immédiatement après la One Ton Cup de Poole), il était à prévoir qu'il y aurait un peu de pagaille aux bouées, tout au moins beaucoup de monde.

Sur la photo ci-contre et celle de la page suivante, l'équipage de *Diva* (S 99) a encore aggravé la confusion en laissant tomber son spi à l'eau. En se remplissant d'eau, il va considérablement ralentir le bateau et *Justine IV* (IR 290) risque d'avoir du mal à l'éviter, surtout si *Espace du Désir* (F 85) continue sur sa lancée.

La scène est symptomatique de l'évolution due à l'intensité de la compétition dans les championnats à ratings égaux, surtout la One Ton Cup, ce qui contribue à élever considérablement le niveau moyen des participants. Les abordages sont rares, mais cependant...

Quand ils arrivent, on a l'impression qu'ils sont dus à une sorte de fatalité. Le Solent est plein de pièges que les coureurs locaux savent bien éviter. Il faut vraiment connaître le plan d'eau comme sa poche pour ne pas se faire prendre. Ici les imprudents avaient mal évalué le courant à Frigate juste devant Beaulieu.

Éric Duchemin sur *Fière Lady* (F 9119) n'a pas protégé à temps son engagement à l'intérieur et tous les bateaux qui se trouvaient sous son vent ont été rapidement rabattus sur lui par le courant. Tout s'est passé si vite que *Fière Lady* a dû empanner, se retrouvant ainsi bâbord amures.

Mais le bateau hollandais *Mustang* (H 63) est encore plus fautif, car son équipage aurait aussi dû prévoir ce qui allait se passer et manœuvrer en conséquence. Rappelons encore une fois que tout cela est dû au fait qu'au sein d'un groupe de *one tonners* tous les bateaux marchent obligatoirement à peu près à la même vitesse et arrivent donc tous ensemble aux bouées. Ce sont des incidents comme celui-ci, ou plutôt le fait de savoir les éviter, qui permettent de faire la différence entre les bons et les autres.

# Atlantic Privateer

| Nom du bateau : ATLANTIC PRIVATEER | |
|---|---|
| Nationalité à la date de la prise de vue : | États-Unis 1985 |
| Propriétaire : | P. Kuttel |
| Skipper : | P. Kuttel |
| Architecte : | Bruce Farr & Associates |
| Chantier : | Round the World Yachts PTY |
| Matériaux : | Kevlar/Nomex/aluminium |
| Année de construction : | 1984 |
| Longueur hors tout : | 24,32 m |
| Longueur à la flottaison : | 19,40 m |
| Largeur au maître-bau : | 5,56 m |
| Tirant d'eau : | 3,88 m |
| Déplacement : | 30,332 t |
| Rating : | 69,5 pieds IOR |
| Voilerie : | Hood |
| Surface de voiles : | 284,5 m² |

*Atlantic Privateer* est un bateau qui promettait beaucoup et qui en fin de compte a toujours joué de malchance. Dessiné par Bruce Farr pour Padda Kuttel en vue de la Course autour du monde de 1985, il fut construit à Cape Town et portait lors de la mise à l'eau le nom du géant de l'électronique Apple Macintosh. Quelques frictions extérieures à la course lors de la régate Cape Town-Punta del Este amenèrent le sponsor à se retirer et c'est sans commanditaire que le bateau participa finalement à la Whitbread sous le nom d'*Atlantic Privateer*. Avant le départ de la course de 29 000 milles, il se montra très impressionnant, notamment dans les Seahorse Maxi Series et dans le Fastnet où il fut à un cheveu de battre le record après avoir terminé second derrière *Nirvana*.

Au départ de la Whitbread, *Atlantic Privateer* était donné favori. Kuttel avait choisi un équipage de gros bras dont trois de ses anciens équipiers de *Xargo III* lors de l'édition précédente de la course. Mais c'est une épreuve où les économies se paient toujours très cher et *Atlantic Privateer* l'a appris à ses dépens lorsque, largement en tête, il était déjà presque en vue de Cape Town. Le mât était celui avec lequel *Flyer* avait gagné la course quatre ans auparavant et qu'il avait été prévu de remplacer avant le départ de 1985. Ce ne fut pas fait et l'espar ne résista pas aux coups de boutoir d'une remontée au près contre la mer énorme des alizés du sud-est. Après son abandon forcé, un nouveau mât fut gréé à Cape Town et le bateau gagna l'étape suivante à Auckland après une victoire au finish sur *NZI Enterprise*. Malheureusement, lors des étapes ultérieures il ne parut jamais plus capable de renouveler ce genre de performance, ajoutant à ses défauts intrinsèques de mauvaises options de route. Mais il semble que Kuttel ait décidé de renouer avec le succès choisissant pour ce faire la course Sydney-Hobart.

# Australia II

Voici le bateau qui a complètement révolutionné l'histoire du yachting en gagnant de 41 secondes la finale de la Coupe de l'America de 1983, mettant ainsi un point final à une suprématie inégalée dans les annales du sport. *Australia II* a dû louvoyer à travers bien des embûches sur l'eau et à terre avant de permettre à Alan Bond de réaliser son ambition : ramener la Coupe à Perth.

Dessinée par Ben Lexcen, la carène d'*Australia II* a été le secret le mieux gardé de tous les quais du monde jusqu'à environ une heure après sa victoire. C'est alors que l'architecte a levé les bras pour qu'on laisse tomber la jupe qui dissimulait la quille aux regards, révélant pour la première fois ses ailettes « magiques ».

Pour le dessin d'*Australia II*, Ben Lexcen avait bénéficié de l'aide des ingénieurs du Bassin de carène national des Pays-Bas, aide que d'ailleurs le New York Yacht Club a considérée comme dépassant le cadre purement théorique et par conséquent contraire au règlement de la Coupe. L'affaire prit assez d'ampleur pour être tout naturellement baptisée du nom de « Keelgate ». En tout cas, elle donna de quoi s'occuper aux deux parties pendant deux bons mois.

Mais ce n'est pas seulement sa quille qui distinguait *Australia II* des autres 12 Mètres. Il était petit avec une carène très tronquée sur l'arrière de la quille qui lui permettait de virer très court, ce qui est essentiel en match-racing. La réputation de « chasseur » qui en résulta intimida tellement les skippers de certains bateaux concurrents que lors de plusieurs départs John Bertrand eut le champ complètement libre et put partir exactement où il voulait.

Le syndicat de Bond garda *Australia II* comme bateau de référence au début de la campagne des *defenders* et Lexcen n'apporta que peu de modifications aux bateaux qu'il dessina par la suite. La dernière régate à laquelle il participa fut le Championnat du monde des 12 Mètres de 1986 où il se classa quatrième.

Ses jours à flot sont maintenant terminés puisqu'il a été acheté par le gouvernement australien qui a l'intention de le conserver dans un musée.

| Nom du bateau : | AUSTRALIA II |
|---|---|
| Nationalité à la date de la prise de vue : | Australie 1986 |
| Propriétaire : | A. Bond |
| Skipper : | G. Lucas |
| Architecte : | Ben Lexcen |
| Chantier : | S. Ward |
| Matériau : | Aluminium |
| Année de construction : | 1982 |
| Rating : | 12 M JI |
| Voileries : | North, Sobstad |

# Awesome

| Nom du bateau : | AWESOME |
|---|---|
| Nationalité à la date de la prise de vue : | États-Unis 1981 |
| Propriétaire : | W. Zimerli |
| Skipper : | W. Zimerli |
| Architecte : | B. Chance |
| Chantier : | New Orleans Marine/Derector |
| Matériau : | Polyester |
| Année de construction : | 1973 |
| Longueur hors tout : | 13,80 m |
| Longueur à la flottaison : | 12,20 m |
| Largeur au maître-bau : | 3,73 m |
| Tirant d'eau : | 2,70 m/1,42 m |
| Déplacement : | 11,884 t |
| Rating : | 37,2 pieds IOR |
| Voilerie : | North |
| Surface de voiles : | 86 m² |

On parle souvent de Britton Chance Jr comme de l'enfant terrible de l'architecture navale, talentueux mais bourré d'idées bien à lui qui lui font connaître des résultats en dents de scie. L'un des premiers à avoir utilisé les essais en bassin de carène, abordant systématiquement les problèmes d'architecture par les mathématiques, Chance élimine de ses dessins tout ce qui lui paraît superflu.

Pour lui, et *Awesome* en est un bon exemple, les formes de coque doivent créer une traînée minimum. A cet effet, ses bateaux sont à déplacement léger avec une largeur réduite au maître-bau, ce qui donne des carènes extrêmement rapides au vent arrière, mais — et bien qu'il affirme le contraire — moins brillantes au près. Chance utilise la dérive pour essayer de minimiser ce talon d'Achille. En Bill Snaith, premier propriétaire d'*Awesome* qui s'appelait alors *Figaro* comme tous ses bateaux, Chance avait trouvé un propriétaire compréhensif prêt à lui laisser le champ libre.

Pour lui, *Awesome* est l'héritage que Bill Snaith a laissé au yachting, bien que des ennuis de santé ne lui aient pas permis de le faire courir comme il l'aurait souhaité.

Le bateau prit le nom de *Rhumbrunner* lorsqu'il fut racheté par Buddy Friedrichs qui le convertit en fléau de la course au large dans le golfe du Mexique. Changeant une nouvelle fois de mains, Will Zimerli lui donna le nom d'*Awesome* et le fit courir à Antigua en 1981 dans des conditions qui lui permirent de se montrer sous son meilleur jour, d'autant plus que le système de jauge utilisé dans les îles lui donnait un rating très favorable.

On le voit ici débouler avec tout dessus, tout en laissant un sillage remarquablement faible.

# Acadia
# et Obsession

| Nom du bateau : | ACADIA |
|---|---|
| Nationalité à la date de la prise de vue : | États-Unis 1980 |
| Propriétaire : | B. Keenan |
| Architecte : | G. Frers |
| Chantier : | Minneford |
| Matériau : | Aluminium |
| Année de construction : | 1978 |
| Longueur hors tout : | 15,55 m |
| Longueur à la flottaison : | 12,56 m |
| Largeur au maître-bau : | 4,44 m |
| Tirant d'eau : | 2,57 m |
| Déplacement : | 14,813 t |
| Rating : | 39,1 pieds IOR |
| Voileries : | North, Hood |
| Surface de voiles : | 114,46 m² |

En 1980 fut courue la seconde édition de la Sardinia Cup, l'intérêt suscité par la première lui assurant une participation correcte. Les conditions atmosphériques furent variables, mais ce qui resta gravé dans toutes les mémoires fut le retour à Porto Cervo depuis Porquerolles pendant la grande course. Au portant dans le mistral, un des plus petits bateaux, le seul à avoir eu le courage d'envoyer le spi, remporta la victoire en temps compensé avec deux heures d'avance sur le second.

*Acadia*, qui avait gagné le SORC plus tôt dans la saison, faisait partie de l'équipe américaine victorieuse à Porto Cervo.

C'était l'un des premiers Serendipity 43 dessinés par Doug Peterson et construits en polyester par New Orleans Marine pour Burt Keenan. Son équipage savait en tirer le meilleur dans toutes les situations.

Sur cette photo, *Acadia* s'est placé dans la vague d'étrave d'*Obsession*, un plan Sparkman et Stephens loué par l'équipe canadienne et de deux pieds de rating de plus que lui. *Acadia* se montrera capable de ne pas lâcher son « remorqueur » pendant toute la durée de ce bord, et même du suivant après avoir mieux négocié sa manœuvre à la bouée d'empannage.

# Congere

On n'ose jamais demander aux Américains pourquoi ils viennent courir en Angleterre et c'est la raison pour laquelle on ne sait jamais pourquoi ils sont attirés par Cowes comme des insectes par la flamme d'une bougie, à laquelle d'ailleurs ils se brûlent bien souvent les ailes. C'est ce qui est arrivé à Bevin Koeppel et à son dernier *Congere*, en 1985. On ne sait pas s'il a traversé l'Atlantique pour courir la Semaine de Cowes ou pour le Fastnet. Toujours est-il que par une Semaine de Cowes très ventée on voit ici que *Congere* a un peu de mal à faire avancer à la même vitesse son mât et sa coque. Quant à sa participation au Fastnet, il parviendra à atteindre Plymouth, mais sans aller virer le rocher.

On se pose d'ailleurs beaucoup de questions en voyant ce bateau. En effet, sa taille de 18,90 mètres ne lui permet d'entrer dans aucune des catégories habituelles de courses. Construit en aluminium sur plans German Frers, *Congere* est un bateau beaucoup plus grand que le groupe des 40 pieds, mais sans l'être assez toutefois pour faire partie des « mini-maxis ». Il est très rare que l'on construise des bateaux IOR de cette taille et le peu qui le sont se destinent à la Course autour du monde. Par contre, c'est une taille qui garantit au propriétaire un minimum de confort même si la course reste l'objectif principal.

L'une des courses qui plaît au propriétaire de *Congere* est Buenos Aires-Rio de Janeiro et on le comprend! Le bateau a détenu le record de la course jusqu'en 1987 où l'ancien *Ondine* l'a battu en temps réel. C'est pendant cette course que le voilier de *Congere*, Butch Ulmer, s'est fait surnommer « Butch the Broach » en souvenir d'un départ au lof mémorable qui n'avait cependant pas empêché le bateau de maintenir une moyenne supérieure à 10 nœuds. Autre souvenir notable : à l'arrivée à Rio tous les Américains de l'équipage, y compris le propriétaire, furent menacés d'expulsion faute de visas adéquats.

| Nom du bateau : | CONGERE |
| --- | --- |
| Nationalité à la date de la prise de vue : | États-Unis 1985 |
| Propriétaire : | B. Koeppel |
| Skipper : | B. Koeppel |
| Architecte : | G. Frers |
| Chantier : | Palmer Johnson |
| Matériau : | Aluminium |
| Année de construction : | 1983 |
| Longueur hors tout : | 18,87 m |
| Longueur à la flottaison : | 15,43 m |
| Largeur au maître-bau : | 5,18 m |
| Tirant d'eau : | 3,30 m |
| Déplacement : | 18,801 t |
| Rating : | 51,4 pieds IOR |
| Voileries : | Ulmer/Kolius |
| Surface de voiles : | 163,23 m² |

# Backlash

| Nom du bateau : | BACKLASH |
|---|---|
| Nationalité à la date de la prise de vue : | Royaume-Uni 1985 |
| Propriétaires : | T. & C. Herring |
| Skipper : | T. Herring |
| Architecte : | J. Everitt |
| Chantier : | Vision Yachts |
| Matériaux : | Kevlar/carbone/epoxy/mousse |
| Année de construction : | 1985 |
| Longueur hors tout : | 13,04 m |
| Longueur à la flottaison : | 9,91 m |
| Largeur au maître-bau : | 3,81 m |
| Tirant d'eau : | 2,22 m |
| Déplacement : | 7,484 t |
| Rating : | 33,5 pieds IOR |
| Voileries : | Banks/Sobstad/McWilliams |
| Surface de voiles : | 96,9 m² |

Quand Tim et Cathy Herring ont commandé ce plan d'admiraler à Julian Everitt, ils lui ont donné carte blanche, le laissant aller aussi loin qu'il le voulait dans son interprétation de l'IOR. Ils avaient également l'intention de mettre le bateau au point de façon empirique sans exiger de résultats dès les premières sorties. Comme d'autre part ils voulaient le faire courir dans le monde entier, ils étaient vraiment décidés à tout essayer pour en faire un bateau très rapide, prêts même à changer de quille si cela s'avérait nécessaire. Everitt était convaincu que les avantages de la quille de type « canard » valaient toutes les pénalités. Pendant sa première saison, *Backlash* n'utilisera pourtant pratiquement qu'une quille classique, les Herring préférant se faire la main sans prendre trop de risques.

*Backlash* a été construit à Cowes chez Vision Yachts qui a combiné de façon très sophistiquée le Kevlar, la fibre de carbone et la résine époxy. La seule chose que l'on puisse peut-être lui reprocher est sa courbe de stabilité. De plus, quelques équipiers supplémentaires sur le liston, comme sur cette photo prise lors de la Semaine de Cowes de 1985, ne lui ont jamais fait de mal. C'est précisément à cette occasion que le bateau a commencé à se distinguer, remportant notamment la prestigieuse Britannia Cup.

Ensuite, il a traversé l'Atlantique par ses propres moyens pour passer l'hiver aux États-Unis où il a participé aux courses du SORC. Puis il a couru la Semaine d'Antigua avant que les Herring ne traversent à nouveau pour prendre part à une nouvelle saison de régates sur la côte sud de l'Angleterre.

C'est alors que le bateau fut équipé en permanence de son « canard ». L'ensemble comprend une nouvelle quille équipée sur l'avant de l'aileron d'un bulbe à écoulement laminaire complétée par un « canard » monté sur une dérive relevée à toutes les allures autres que le près pour diminuer la surface mouillée. Après des résultats assez bons lors de la Semaine de Cowes de 1986, les Herring raflèrent absolument toutes les coupes de la Semaine de Burnham, leur port d'attache.

# Barracuda of Tarrant

Vedette d'un feuilleton télévisé de la BBC intitulé *Howard's Way*, *Barracuda of Tarrant* est un ULDB, un déplacement ultraléger de 13,70 mètres dessiné par Tony Castro selon les données rigoureuses de Bob Fisher qui, à la suite des ULDB californiens, voulait développer la formule en augmentant la stabilité afin de pouvoir utiliser le bateau en croisière rapide avec un équipage réduit.

A cet effet, le maître-bau fut conservé presque jusqu'à l'arrière avec une carène qui n'est pas sans rappeler celle du *Flying Dutchman*. Cela donnait à Castro la possibilité d'utiliser deux safrans inclinés vers l'extérieur, le safran sous le vent étant parfaitement immergé et vertical à la gîte, et d'approcher ainsi la perfection en matière de barre. En conséquence, les départs au lof dans le gros temps sous spi deviennent assez rares pour ne plus être pris en considération et il n'est pas déraisonnable d'utiliser ce bateau pour la croisière à deux équipiers.

La coque, réalisée en trois plis de cèdre, était à l'origine la partie mâle du moule en fibre de verre destiné à la production en série par le chantier Sadlers de Poole. Le pont, lui, est le premier moulage plastique de ce chantier. *Barracuda of Tarrant* a été construit par le chantier Elephant de Bursledon sur le site même où fut construit il y a deux cents ans le HMS *Elephant* et où fut tourné le feuilleton télévisé.

Le bateau fait partie intégrante du scénario puisqu'il sauve le chantier de la faillite, avant de traverser l'Atlantique barré en solitaire par la fille de l'architecte.

Dans la réalité, *Barracuda of Tarrant* s'est taillé une solide réputation aussi bien en matière de croisière que de course en effectuant les 585 milles de sa première traversée en 72 heures. Monocoque le plus rapide du Tour de l'île de Wight de 1986, il n'a terminé qu'à dix minutes du record de l'épreuve établi par *Mistress Quickly* en 5 heures 57 minutes.

Il a également eu régulièrement les honneurs de la ligne dans les courses de la classe du Channel Handicap — le propriétaire avait demandé à l'architecte d'oublier complètement l'IOR — glanant d'autre part de nombreux lauriers en temps compensé aussi bien en régates côtières qu'en course au large.

| Nom du bateau : | BARRACUDA OF TARRANT |
|---|---|
| Nationalité à la date de la prise de vue : | Royaume-Uni 1986 |
| Propriétaire : | B. Fisher |
| Skipper : | B. Fisher |
| Architecte : | A. Castro |
| Chantier : | Elephant Boatyard |
| Matériaux : | Cèdre/spruce/epoxy |
| Année de construction : | 1986 |
| Longueur hors tout : | 13,70 m |
| Longueur à la flottaison : | 12,80 m |
| Largeur au maître-bau : | 3,80 m |
| Tirant d'eau : | 2,40 m |
| Déplacement : | 5,672 t |
| Rating : | 1,154 Channel Handicap |
| Voilerie : | Sobstad |
| Surface de voiles : | 87,8 m² |

# *Blizzard*

| Nom du bateau : | BLIZZARD |
|---|---|
| Nationalité à la date de la prise de vue : | Royaume-Uni 1979 |
| Propriétaire : | E. Juer |
| Skipper : | E. Juer |
| Architecte : | G. Frers |
| Chantier : | Palmer Johnson |
| Matériau : | Aluminium |
| Année de construction : | 1979 |
| Longueur hors tout : | 15,52 m |
| Longueur à la flottaison : | 12,56 m |
| Largeur au maître-bau : | 4,40 m |
| Tirant d'eau : | 2,59 m |
| Déplacement : | 9,198 t |
| Rating : | 39,6 pieds IOR |
| Voilerie : | North |
| Surface de voiles : | 145,9 m² |

La décision d'Ernest Juer de commander à German Frers les plans d'un nouvel admiraler était la conséquence d'un processus logique. S'agissant d'un classe I, le choix de l'architecte semblait tout à fait opportun dans la mesure où en 1979, et même depuis, il a monopolisé les victoires dans cette taille de bateaux. Le choix du matériau découlait tout naturellement de la première option. A l'époque, c'est l'aluminium qui apportait les meilleures solutions aux problèmes posés par la construction d'une unité de 15,52 mètres. Et le choix du chantier devenait évident dans la mesure où Palmer Johnson de Sturgeon Bay, dans le Wisconsin aux États-Unis, était le grand spécialiste de l'aluminium pour la course. Situé en plein cœur de l'Amérique, le chantier fut en quelque sorte à l'origine du nom du bateau puisque c'est sous une véritable tempête de neige qu'il sortit pour la première fois du hangar.

Pour sa première course, *Blizzard* descendit en Floride participer au SORC que Juer considérait comme un excellent galop d'essai avant la saison de sélection pour l'Admiral's Cup en Grande-Bretagne. Ces toutes premières courses se révélèrent particulièrement utiles.

Dès que les sélections commencèrent, il ne fit pas de doute que *Blizzard* allait être retenu. Juer avait réuni autour de lui un équipage de haut niveau comprenant Tom Richardson à la barre et Bobby Lowein comme navigateur. Dès la première régate de l'Admiral's Cup de 1979, *Blizzard* se distingua de manière retentissante en s'adjugeant à la fois le temps réel et le temps compensé avec une avance de quatre minutes sur le second. Le bateau avait tiré pleinement profit de la combinaison de vents forts et de marées d'équinoxe dans le Solent et l'on peut penser que dans le même type de temps il aurait connu un résultat analogue le lendemain.

Mais si, selon le mot de Sir Max Aitken, «Tout le monde peut avoir une mauvaise journée», il semble que dans l'équipage de *Blizzard* tout le monde ait eu sa «mauvaise journée» le même jour, ce qui se traduisit, outre plusieurs avaries, par une série de petites erreurs qui aboutit à un désastre en matière de navigation. A mi-course, *Blizzard* avait viré la bouée Salt Mead avec assez d'avance pour sauver son rating, lorsqu'il repartit en sens inverse au lieu de traverser le Solent vers West Lepe. Il ne pouvait plus être, évidemment, question de victoire.

Et malheureusement, c'est pour cette erreur plutôt que pour toutes ses premières places que l'on se souviendra de *Blizzard*.

# Azzurra II

| Nom du bateau : | AZZURRA II |
|---|---|
| Nationalité à la date de la prise de vue : | Italie 1986 |
| Propriétaire : | Consorzio Azzurra Sfida Italiana America's Cup 1987 |
| Skipper : | L. Bortolotti |
| Architecte : | A. Vallicelli |
| Chantier : | S.A.I. Ambrosini |
| Matériau : | Aluminium |
| Année de construction : | 1985 |
| Longueur hors tout : | 20,05 m |
| Longueur à la flottaison : | 13,90 m |
| Largeur au maître-bau : | 3,85 m |
| Tirant d'eau : | 2,85 m |
| Déplacement : | 26 t |
| Rating : | 12 M JI |
| Voilerie : | North |
| Surface de voiles : | 168 m² |

Étant donné les bonnes performances réalisées lors de sa première participation à la Coupe de l'America de 1983, le syndicat du Yacht Club Costa Smeralda décida de participer une nouvelle fois à l'épreuve en 1987. Les plans du nouveau bateau furent confiés à Andrea Vallicelli, architecte du premier *Azzurra* qui, à Newport, était parvenu en demi-finale des challengers. Cette fois il avait pour mission de dessiner un 12 Mètres adapté aux conditions de vents plus forts régnant au large de Fremantle.

La nécessité de remettre une coque en chantier était devenue évidente après le Championnat du monde couru en Sardaigne, où *Azzurra* avait été battu par *Victory '83* que venait d'acheter le syndi-

cat rival du Yacht Club Italiano. Et il était d'autant moins question de ne pas le faire que sur la Costa Smeralda, sous la présidence de l'Aga Khan, on a toujours fait les choses avec classe.

*Azzurra II* était le premier de trois nouveaux bateaux, et le syndicat passera deux étés successifs à les tester dans les eaux de la Coupe. Malheureusement, les Italiens réussiront à démontrer de façon irréfutable que pour gagner la Coupe de l'America il ne suffit pas de dépenser beaucoup d'argent, ni de disposer d'architectes et de chantiers de réputation internationale, ni même malheureusement d'avoir du talent. Tout cela ne sert à rien si cohésion et coopération ne sont pas au rendez-vous.

# Drum

Construit pour la Whitbread de 1985, *Drum* a connu toute une série d'aventures malheureuses à commencer par la disparition de Robert James qui n'a pu être sauvé après sa chute du trimaran *Colt Cars GB*. C'était pour Rob James et son sponsor, la marque de voitures japonaises Mitsubishi, que Ron Holland l'avait initialement dessiné. Malheureusement, un changement au niveau de la haute direction de la firme imposa l'arrêt des travaux à mi-chemin de la construction de la coque qui fut finalement rachetée par Simon Le Bon et les frères Berrow, Michael et Paul. Le chantier Vision Yachts de Cowes accepta de continuer la construction tandis que Moody à Swanwick, sur la rivière Hamble, commençait à préfabriquer l'intérieur. Skip Novak ayant pris la tête du projet, le bateau fut terminé en un temps record et pendant une certaine période tout sembla bien se présenter.

La photo a été prise un jour de brise pendant les Seahorse Maxi Series et l'on y reconnaît Harold Cudmore et Skip Novak. Ces Series auraient sans doute suffi à tester le bateau et son équipement avant la Course autour du monde, mais dans le Fastnet se produisit un accident qu'il était absolument impossible de prévoir. La matrice d'aluminium surmontant le lest en plomb de la quille avait été mal soudée et a cassé. Se retrouvant brusquement privé de lest, le bateau a bien sûr immédiatement chaviré. Six équipiers se sont retrouvés prisonniers à l'intérieur de la coque retournée qui, heureusement, flottait. Il a fallu plonger pour les libérer, mais dans l'ensemble l'opération de sauvetage s'est rapidement déroulée.

*Drum* a été renfloué et le chantier Moody l'a entièrement revu à temps pour le départ de la Whitbread.

La série noire n'était pas terminée. A la fin de la première étape, dans les mêmes conditions de temps qui allaient coûter son mât à *Atlantic Privateer*, la coque a commencé à se délaminer fortement. Novak a dû lever le pied, perdant trois jours à rentrer à vitesse réduite à Cape Town où le bateau a été à nouveau revu de fond en comble.

Malgré tout cela, *Drum* est parvenu à terminer troisième de la Course autour du monde, participant pendant l'été suivant à une autre circumnavigation, mais d'un genre moins périlleux, celle de l'Irlande.

| Nom du bateau : | DRUM |
|---|---|
| Nationalité à la date de la prise de vue : | Royaume-Uni 1985 |
| Propriétaires : Simon Le Bon, P. & M. Berrow | |
| Skipper : | Skip Novak |
| Architecte : | R. Holland |
| Chantier : | Mitsubishi Marine/Vision Yachts |
| Matériaux : | Polyester/Kevlar/mousse |
| Année de construction : | 1985 |
| Longueur hors tout : | 23,60 m |
| Longueur à la flottaison : | 18,40 m |
| Largeur au maître-bau : | 5,40 m |
| Tirant d'eau : | 4,14 m |
| Déplacement : | 34,331 t |
| Rating : | 69,4 pieds IOR |
| Voilerie : | Hood |
| Surface de voiles : | 297 m² |

# Blue Buzzard

Sous son nom d'origine *Uin-na-Mara*, *Blue Buzzard* est sorti en 1979 du chantier Supercraft de Hong Kong en même temps que son sister-ship *Vanguard* à David Lieu, les deux bateaux étant destinés à l'équipe de Hong Kong pour l'Admiral's Cup, le troisième membre de cette excellente équipe étant *La Pantera III* à Chris Ostenfeld. Il est à noter un fait assez rare pour l'époque : l'utilisation du Kevlar dans les tissus de la coque des deux bateaux.

Ce sera une très grande surprise quand à la fin de la première journée de régates de l'Admiral's Cup de 1979, Hong Kong sera vainqueur au classement par points, avec onze points d'avance sur la Grande-Bretagne dont l'un des bateaux, *Blizzard*, avait pris la première place. En fait, les admiralers de Hong Kong se classaient respectivement troisième, quatrième (*Uin-na-Mara*) et cinquième. L'équipe gardera son classement lors de la régate suivante, mais la Channel Race courue par vents faibles causera sa perte. Néanmoins, Hong Kong terminera troisième à égalité avec l'Italie. N'oublions pas que 1979 était l'année de la tempête du Fastnet.

Deux ans plus tard, *Uin-na-Mara* revint à la charge, mais bien que l'équipe de Hong Kong ait les mêmes skippers, elle se montra moins brillante. Lors de l'édition suivante, sous le nom de *Blue Buzzard* et avec un nouveau propriétaire, Martin Gibson, *Uin-na-Mara* disputera les sélections pour l'équipe britannique, mais sans succès.

| Nom du bateau : | BLUE BUZZARD |
| --- | --- |
| Nationalité à la date de la prise de vue : | Royaume-Uni 1984 |
| Propriétaire : | M. Gibson |
| Skipper : | M. Gibson |
| Architecte : | E. Dubois |
| Chantier : | Supercraft |
| Matériaux : | Polyester/Kevlar |
| Année de construction : | 1979 |
| Longueur hors tout : | 13,61 m |
| Longueur à la flottaison : | 10,67 m |
| Largeur au maître-bau : | 3,95 m |
| Tirant d'eau : | 2,41 m |
| Déplacement : | 9,135 t |
| Rating : | 35,8 pieds IOR |
| Voileries : | Pryde/Horizon |
| Surface de voiles : | 108,26 m² |

# Blue Leopard

| Nom du bateau : | BLUE LEOPARD |
|---|---|
| Nationalité à la date de la prise de vue : | Royaume-Uni 1974 |
| Propriétaire : | D. Molins |
| Skipper : | D. Molins |
| Architecte : | Laurent Giles |
| Chantier : | W. Osborne |
| Matériau : | Bois |
| Année de construction : | 1962 |
| Longueur hors tout : | 33,99 m |
| Longueur à la flottaison : | 22,86 m |
| Largeur au maître-bau : | 5,79 m |
| Tirant d'eau : | 2,90 m |
| Déplacement : | 69,650 t |
| Voilerie : | Ratsey & Lapthorn |
| Surface de voiles : | 325,15 m² |

Dans le style racé on peut difficilement faire mieux que *Blue Leopard* bien qu'il ait été construit uniquement pour la croisière. Lors de sa mise à l'eau en 1962 par le chantier William Osborne & Company, c'était le plus grand navire de plaisance construit depuis la guerre.

La tâche des architectes, Laurent Giles & Partners, n'a pourtant pas été simple : il s'agissait de concevoir un *motor-sailer* en ne faisant aucune concession ni au moteur ni à la voile. Apparemment le but fut atteint puisque *Yachting World* présenta le bateau en ces termes : « C'est sans conteste une complète réussite alliant un véritable voilier à un bateau à moteur rapide, doté en outre d'aménagements particulièrement confortables. » Ce n'est pas son propriétaire Desmond Molins qui le démentira puisque vingt-cinq ans plus tard le bateau est toujours en sa possession.

*Blue Leopard* se présentait comme un déplacement léger à une époque où personne ne pensait à ce type de bateau et où il était encore moins question d'en construire. Osborne utilisa deux plis d'acajou du Honduras prenant en sandwich deux plis de cèdre américain posés en diagonale. Quant au pont, c'est un coffre fait de deux feuilles de contre-plaqué séparées par des serres de spruce et de la mousse, une méthode de construction bien en avance sur son époque. Il en résulte un déplacement de 50 tonneaux à vide et juste un peu plus de 60 lorsque le bateau est pleinement équipé pour la croisière.

*Blue Leopard* a presque toujours navigué en Méditerranée. Il peut marcher à 11 nœuds au près et 15 nœuds au portant, atteignant 16 nœuds sans effort au grand largue en s'aidant au moteur. On n'en attend pas moins d'un yacht équipé de deux moteurs turbo Rolls-Royce de 380 chevaux chacun et dont la coque a été essayée au bassin de carène du Stevens Institute d'Hoboken dans le New Jersey, qui a vu passer de nombreuses maquettes de 12 Mètres.

*Blue Leopard* est un bateau maintenu constamment à la pointe du progrès en matière d'équipement. Nombreux sont ceux qui rêvent d'un tel bateau, mais l'architecte a dû refuser d'en vendre une deuxième fois les plans, les clauses du contrat stipulant que *Blue Leopard* devra rester le seul et l'unique de son genre.

# *Brava*

Parmi les coureurs italiens, c'est sans doute chez Pasquale Landolfi que l'esprit de compétition est le plus développé comme le prouvent ses nombreuses participations à l'Admiral's Cup. Son bateau précédent, nommé aussi *Brava* et également dessiné par Vallicelli, fut constamment parmi les meilleurs de la Coupe 1983 et si en plus d'*Almagores* l'Italie avait eu un troisième bateau du même calibre, il est fort possible que la Coupe aurait changé de mains. En fait cette année-là, elle fut surtout un filon pour les petits ratings, *Brava* terminant troisième *ex æquo* avec *Pinta* derrière *Almagores* et *Sabina*, tous deux à juste trois points devant.

Il avait fallu trois saisons à Landolfi pour mettre parfaitement au point le premier *Brava*. C'est à nouveau à Andrea Vallicelli qu'il demanda de dessiner son nouveau bateau, toujours pour l'Admiral's Cup; il fallait donc que ce soit un *one tonner*. Les *one tonners* rapides ont des gréements fractionnés, ce qui pour Landolfi et son équipage, toujours très compétent, signifiait un bouleversement important de leurs habitudes.

Le choix du chantier se porta sur Morri & Para à Rimini qui construisirent la coque en bois et la recouvrirent d'un pont en composite. Terminé début 1984, le bateau fit partie de l'équipe italienne de la Sardinia Cup qui termina troisième au classement général. L'année suivante, il était fin prêt pour l'Admiral's Cup et se montra facilement le meilleur d'une équipe italienne assez faible.

Nous le voyons ici lors de cette Admiral's Cup de 1985, montrant pleinement comment des *one tonners* de déplacement assez faible peuvent être à leur aise dans la forte brise où leur aptitude au planning les rend absolument passionnants à barrer. *Brava* a envoyé son spi le plus grand de 1,5 once, a gardé la grand-voile haute et le génois numéro trois sous le spi.

| Nom du bateau | BRAVA |
|---|---|
| Nationalité à la date de la prise de vue : | Italie 1985 |
| Propriétaire : | P. Landolfi |
| Skipper : | P. Landolfi |
| Architecte : | A. Vallicelli |
| Chantier : | Morri & Para |
| Matériaux : | Bois/composite |
| Année de construction : | 1984 |
| Longueur hors tout : | 12,20 m |
| Longueur à la flottaison : | 9,80 m |
| Largeur au maître-bau : | 3,75 m |
| Tirant d'eau : | 2,25 m |
| Déplacement : | 5,583 t |
| Rating : | 30,5 pieds IOR |
| Voilerie : | North |
| Surface de voiles : | 78,28 m² |

# Cider with Rosie

| Nom du bateau : | CIDER WITH ROSIE |
|---|---|
| Nationalité à la date de la prise de vue : | Royaume-Uni 1978 |
| Propriétaire : | N. Svendsen |
| Architecte : | G. Frers |
| Chantier : | Frers & Cibillis |
| Matériaux : | Polyester/mousse |
| Année de construction : | 1974 |
| Longueur hors tout : | 11,76 m |
| Longueur à la flottaison : | 8,99 m |
| Largeur au maître-bau : | 3,49 m |
| Tirant d'eau : | 1,97 m |
| Déplacement : | 7,128 t |
| Rating : | 27 pieds IOR |
| Voilerie : | Ratsey & Lapthorn |
| Surface de voiles : | 77,47 m² |

Il y a des moments dans la vie d'un barreur où il voudrait vraiment être partout sauf sur un bateau... C'est ce qui arrive ici sur *Cider with Rosie*, un *one tonner* dessiné par Frers en 1974 à l'époque où la limite de la One Ton était encore à 27,5 pieds IOR et où tous avaient en commun une tendance à n'en faire qu'à leur tête dès que le vent forcissait un peu dans les bords de vent arrière. Tout barreur un tant soit peu honnête reconnaîtra qu'il s'est parfois trouvé dans ce genre de situation catastrophique avec la sensation d'être le torero face au taureau, juste au moment où tout va se déchaîner.

Le barreur a réussi à éviter le départ au lof en donnant énormément de barre, mais, comme il a surcorrigé, *Cider with Rosie* va quand même se retrouver en position extrêmement délicate. A tout moment, la grand-voile qui est sur la fausse panne peut reprendre sa position correcte par rapport au vent comme l'indique la bôme qui surplombe le pont de manière fort menaçante. *Rosie* qui semble n'avoir qu'une envie, celle de retourner d'où elle vient, va se retrouver couchée sur le flanc tribord et aura beaucoup de mal à se redresser. C'est le genre de situation où un barreur se découvre souvent une passion subite pour le golf.

# Formidable

On pourrait supposer que le barreur de cette photo a assez de cran pour penser qu'il a la situation bien en main, c'est le genre de fausse impression où Peter Vroon est passé maître. En fait, dans la rafale qui vient d'atteindre *Formidable* il semble s'en tirer un peu mieux que les bateaux à son vent. La photo a été prise ce fameux jeudi de la Semaine de Cowes de 1979 où le Solent prévenait déjà de ce qui allait se passer dans le Fastnet. Voiles en lambeaux, hécatombe de mâts, safrans réduits en bois d'allumette, telle était l'image de ce plan d'eau abrité lorsque le suroît s'est levé. C'est une journée dont on se souviendra longtemps, un de ces jours où chaque barreur, chaque équipier a une histoire à raconter.

Ce que Vroon a ici en main est un bateau comme Ron Holland voudrait en dessiner à chaque fois, un bateau capable d'occuper le haut des palmarès pendant des années. Sous le nom de *Marionette* et dans les mains de Chris Dunning, il avait mené l'équipe d'admiralers britanniques à la victoire en 1977, puis l'année suivante, barré par Peter Vroon, il avait gagné la Channel Race en temps compensé avec douze heures d'avance sur le second, performance qui s'explique par le fait qu'il avait réussi à passer juste avant que le vent ne tombe, plantant complètement le gros de la flotte à la CH 1 au large de Cherbourg et plus tard sous des torrents de pluie au milieu de la Manche.

Ce qui pourrait permettre à Vroon de s'en tirer correctement ici serait d'arriver à faire abattre juste un peu. L'équipage a tout préparé pour, on a choqué le spi et débordé complètement la grand-voile, mais il n'aurait peut-être pas fallu souquer autant la retenue de bôme. Par contre, ce qui risque de lui jouer un mauvais tour, c'est que l'extrémité de la bôme est déjà dans l'eau.

Dans les mains de Vroon, le bateau fera encore d'excellentes choses pendant au moins deux saisons. D'ailleurs, Ron Holland s'en sert encore comme référence lorsqu'il conçoit des bateaux de cette taille.

| Nom du bateau : | FORMIDABLE |
|---|---|
| Nationalité à la date de la prise de vue : | Pays-Bas 1979 |
| Propriétaire : | P. Vroon |
| Skipper : | P. Vroon |
| Architecte : | R. Holland |
| Chantier : | Joyce Marine |
| Matériau : | Aluminium |
| Année de construction : | 1977 |
| Longueur hors tout : | 14,50 m |
| Largeur au maître-bau : | 4,50 m |
| Tirant d'eau : | 2,42 m |
| Déplacement : | 9,979 t |
| Rating : | 34,5 pieds IOR |
| Voilerie : | North |
| Surface de voiles : | 136 m² |

# *Caiman II*

| Nom du bateau : | CAIMAN II |
| --- | --- |
| Nationalité à la date de la prise de vue : | Pays-Bas 1985 |
| Propriétaire : | G. Jeelof |
| Skipper : | G. Jeelof |
| Architecte : | D. Peterson |
| Chantier : | J. Rogers |
| Matériaux : | Kevlar/mousse |
| Année de construction : | 1981 |
| Longueur hors tout : | 12,94 m |
| Largeur au maître-bau : | 3,88 m |
| Tirant d'eau : | 2,45 m |
| Déplacement : | 7,903 t |
| Rating : | 32,9 pieds IOR |
| Voilerie : | North |

*Caiman II* est l'un de ces bateaux que l'on voit pendant de nombreuses années sur les plans d'eau, celui-ci ayant participé notamment à trois Admiral's Cups. Dessiné par Doug Peterson dans une de ses périodes classiques, il fut construit par la section à l'unité du chantier Jeremy Rogers en même temps que *Apollo V* et *Marionette VIII* selon un procédé utilisant l'époxy, le Kevlar et la mousse unicellulaire, le tout stratifié sous vide.

Quand Gerry Jeelof résidait en Angleterre, il a couru dès la première saison du bateau en 1981 les sélections pour faire partie de l'équipe britannique. N'étant pas sélectionné, il a loué le bateau à l'équipe des Bermudes. Le premier triangle *inshore* de cette année-là n'est pas de ceux dont on se souvient avec plaisir, car il fut couru par petits airs lors de fortes marées d'équinoxe le jour du mariage du Prince Charles. Pour Jeelof par contre c'est un bon souvenir, car, à la barre de *Caiman II*, Jay Hooper avait réussi à gagner à la fois en temps réel et en temps compensé. Aucun propriétaire ne peut oublier une chose pareille. Par contre, il ne vaut sans doute pas la peine de se souvenir du reste des régates de la Coupe cette année-là, car les Bermudes s'étant classé bon dernier, *Caiman II* courut finalement le Fastnet avec les non-admiralers.

Deux ans plus tard, Jeelof était rentré en Hollande et le bateau courut les sélections dans son pays, se classant premier de l'équipe. Mais, comme tant d'autres, *Caiman II* ne tint pas ses promesses lors des régates de l'Admiral's Cup au point que dans l'équipe hollandaise c'est lui qui marqua le moins de points.

En 1985, *Caiman II* courut à nouveau et cette fois marqua plus de points que les deux autres bateaux hollandais, mais l'équipe n'était pas bonne et rata de nombreuses occasions. D'ailleurs le bateau commençait à sentir le poids des ans, il était temps de penser à le mettre à la retraite. Pourtant, sur cette photo prise lors des dernières régates de 1985, il semble que tout son équipage prenne encore beaucoup de plaisir à le faire naviguer.

# Carat

Wictor Fross, propriétaire de *Carat*, un Frers 50 très classique qui semble ne pas vieillir, a couru avec lui toutes les grandes classiques dans le monde, participant régulièrement au SORC et à la Sardinia Cup aussi bien qu'à l'Admiral's Cup. En remplacement de son bateau précédent *Bla Carat*, *Carat* a été construit en aluminium au chantier Minneford aux États-Unis en 1981.

Mis à l'eau fin 1981, ce n'est pourtant qu'en 1983 que le bateau fera ses débuts dans l'Admiral's Cup, y remportant une victoire triomphale. Ce fut d'ailleurs une journée mémorable à bien des égards. Pour les puristes, c'était la première fois que l'on courait un triangle olympique en dehors du Solent; les observateurs, eux, auraient pu remarquer les gros nuages d'orage qui obscurcirent le ciel à partir de la mi-course. Mais pour Fross et l'équipage de *Carat* tout l'intérêt de la journée résidait incontestablement dans la course elle-même.

Au départ du troisième triangle olympique dans Christchurch Bay, on avait déjà oublié les affres d'une Channel Race sans vent où la flotte était arrivée à la CH 1 au large de Cherbourg au début du jusant et avait dû rester mouillée pendant six longues heures avant de pouvoir remettre en route. Ici les choses étaient différentes malgré les quelques éclairs qui zébraient de temps à autre l'horizon. Rien ne pouvait saper le moral de l'équipage de *Carat*.

Le comité de course avait établi une ligne de départ parfaite et les bateaux se placèrent bientôt presque exactement selon leur place dans l'ordre des ratings IOR. Ainsi, dès le premier mille, *Carat* était loin devant et ne bougea pas de la première place tout au long des trente milles du triangle, prenant en outre assez d'avance pour remporter aussi la course en temps compensé. La récompense en était le Trophée Champagne Mumm où le propriétaire gagne son poids dans le produit du sponsor, soit en tout cinquante bouteilles, ce qui en soi suffisait pour que Wictor Fross s'en souvienne toute sa vie !

| Nom du bateau : | CARAT |
|---|---|
| Nationalité à la date de la prise de vue : | Suède 1985 |
| Propriétaire : | W. Fross |
| Architecte : | G. Frers |
| Chantier : | Minneford |
| Matériau : | Aluminium |
| Année de construction : | 1981 |
| Longueur hors tout : | 15,45 m |
| Largeur au maître-bau : | 4,45 m |
| Tirant d'eau : | 2,85 m |
| Déplacement : | 13,452 t |
| Rating : | 40 pieds IOR |
| Voilerie : | Sobstad |
| Surface de voiles : | 142,75 m² |

# Ceramco New Zealand

| Nom du bateau : | CERAMCO NEW ZEALAND |
|---|---|
| Nationalité à la date de la prise de vue : | Nouvelle-Zélande 1981 |
| Skipper : | P. Blake |
| Architecte : | B. Farr |
| Chantier : | McMullen & Wing |
| Matériau : | Aluminium |
| Année de construction : | 1980 |
| Longueur hors tout : | 20,88 m |
| Longueur à la flottaison : | 16,80 m |
| Largeur au maître-bau : | 5,20 m |
| Tirant d'eau : | 3,24 m |
| Déplacement : | 19,32 t |
| Rating : | 62,9 pieds IOR |
| Voilerie : | Lidgard Rudling |

Voici comment lors de trois Whitbread consécutives un bateau à bord duquel se trouvait Peter Blake a connu des avaries importantes. La première fois sur *Burton Cutter* c'étaient des problèmes de coque, la seconde sur *Heath's Condor* la rupture du mât en fibre de carbone et la troisième en 1981 sur *Ceramco* c'est encore un ennui de gréement qui a coûté à Blake la victoire finale.

C'est lors de l'arrivée à Auckland de la seconde Whitbread que Ceramco, l'une des plus importantes entreprises de Nouvelle-Zélande, offrit à l'enfant du pays un bateau complètement sponsorisé pour l'édition suivante de la course. Blake était chef de quart sur *Heath's Condor* et le bateau skippé par Robin Knox-Johnston venait de remporter l'étape.

La préparation de *Ceramco* a constamment été soutenue par le grand public d'autant plus que, de la conception à la construction, tout fut fait en Nouvelle-Zélande : plans de Bruce Farr et construction en aluminium au chantier McMullen & Wing d'Auckland. Une réduction maximale de poids fut obtenue en embarquant des aliments lyophilisés et un désalinisateur et le bateau dut passer par une série d'épreuves très rigoureuses avant de partir s'aligner au départ de la grande course.

Il participa ainsi à la course Sydney-Hobart de 1980 dont le palmarès indique qu'elle a été remportée par le bateau *New Zealand*. En effet, la règle 26 de l'IYRU avait imposé la suppression du mot *Ceramco* du nom du bateau, mais puisque tout le monde était au courant cela n'avait pas grande importance. Fait extrêmement rare dans les annales d'une course aussi difficile, Blake et son équipage se payèrent le luxe de se classer premiers à la fois en temps réel et en temps compensé. *Ceramco New Zealand* avait passé haut la main toutes les épreuves.

Au départ de Portsmouth, le bateau était sans aucun doute possible le grand favori. Malheureusement, à 120 milles au nord de l'île d'Ascension, le mât cassa sur rupture d'un hauban monotoron au passage d'une barre de flèche. *Ceramco* dut faire un détour de 4 000 milles sous gréement de fortune pour parcourir les 2 500 milles qui lui restaient à faire jusqu'à Cape Town. Avec son nouveau mât, il termina premier à Auckland et ses performances pendant le reste de la course portent à croire qu'un nom différent aurait été gravé sur le Trophée Whitbread de 1982 si ce fichu mât était resté debout.

# Côte d'Or

| Nom du bateau : | CÔTE D'OR |
| --- | --- |
| Nationalité à la date de la prise de vue : | Belgique 1985 |
| Propriétaire : | Côte d'Or Cie |
| Skipper : | É. Tabarly |
| Architectes : | Joubert & Nivelt |
| Chantiers : | Amtec/Willebroeck |
| Matériaux : | Kevlar/Divinycell |
| Année de construction : | 1985 |
| Longueur hors tout : | 25,10 m |
| Longueur à la flottaison : | 20,30 m |
| Largeur au maître-bau : | 5,90 m |
| Tirant d'eau : | 3,90 m |
| Déplacement : | 33,987 t |
| Rating : | 69,6 pieds IOR |
| Voilerie : | North |
| Surface de voiles : | 249 m² |

Avec ses 25,10 mètres, construit en Belgique en sandwich composite sur plans Joubert-Nivelt, *Côte d'Or* était le plus grand bateau de la Whitbread de 1985. Avec lui, c'était la quatrième fois qu'Éric Tabarly se présentait au départ de la Course autour du monde. Malheureusement l'argent était arrivé trop tard, le bateau avait été construit trop rapidement et il n'avait pas été possible de faire des essais.

Le fameux chocolatier belge qui finançait le projet avait insisté pour que tout l'équipage soit belge. Mais petit à petit Tabarly était parvenu à introduire ses équipiers habituels capables de maîtriser ce type de bateau, si bien que lors du départ il ne restait plus à bord que moins de la moitié d'équipiers belges.

Les conséquences de la préparation hâtive se firent durement ressentir lors de la première étape où les bateaux devaient remonter au près contre une mer très grosse : l'avant de la coque se mit à se délaminer. Et cela recommença à la moitié de la seconde étape, ce qui rendit nécessaires des travaux extrêmement importants aussi bien au Cap qu'à Auckland. Ce n'est que dans la dernière étape que *Côte d'Or* put donner pleinement sa mesure en terminant second derrière *UBS Switzerland*, prouvant qu'aux allures débridées il laissait les autres maxis loin derrière.

# Intrigue, Drake's Prayer et Challenge III

Pour son équipe de l'Admiral's Cup de 1985, l'Australie avait choisi trois bateaux très différents dessinés par trois architectes différents. De plus, deux des propriétaires n'avaient jamais participé à la Coupe. «Lou a quand même réussi à gagner ses Docksides!» s'était écrié un coureur australien en entendant dire que Lou Abrahams et *Challenge III* avaient finalement réussi à se qualifier après s'être présentés aux sélections pendant près de vingt-cinq ans. Le bateau, un plan Frers de 13,10 mètres gréé en tête, s'était classé troisième des sélections australiennes, mais il cassera son mât dans la Channel Race se retrouvant du même coup au bas du tableau. Un nouveau mât sera cependant à poste pour la course suivante.

La prière quotidienne de Sir Francis Drake à son Créateur parle de terminer ce que l'on a commencé. Peter Kurt a donc de la suite dans les idées lorsqu'il choisit les noms de ses bateaux puisque *Drake's Prayer* a pris la suite de *Once More Dear Friends*. Changeant d'architecte pour sa troisième participation à l'Admiral's Cup, il avait fait appel à Bruce Farr, lui demandant un gréement fractionné de 13,10 mètres proche de *Snake Oil* qui s'était si bien comporté dans le SORC.

Ensuite, selon son habitude, Peter Kurt avait bourré son bateau d'équipiers tous plus compétents les uns que les autres. A la barre, notamment, se relayaient David Forbes, médaille d'or olympique en Star et Iain Murray, six fois champion du monde en Skiff de 18 pieds et qui était en outre le skipper attitré du syndicat des 12 Mètres *Kookaburra*. En 1985, les conditions météo furent particulièrement favorables aux *one tonners*, surtout dans la Channel Race qui se courut presque entièrement au portant par vents forts.

Quand au troisième bateau, *Intrigue* à Don Calvert, son niveau général pendant les sélections lui avait permis de se qualifier sans avoir à courir la dernière grande course. Chez les Calvert les admiralers sont une affaire de famille puisque son père en avait déjà construit un dans un hangar à environ un kilomètre de l'endroit où Don construisit le sien sur plans Tony Castro. Le premier s'appelait *Caprice of Huon* sur plans Robert Clark et faisait partie de la première équipe australienne gagnante de l'Admiral's Cup. Il est à remarquer également qu'*Intrigue* et son équipage ont été les premiers Tasmaniens sélectionnés dans une équipe australienne. Celle-ci ne gagna pas la Coupe, mais c'est *Intrigue* qui des trois bateaux marqua le plus de points.

| Nom du bateau : | INTRIGUE |
|---|---|
| Nationalité à la date de la prise de vue : | Australie 1985 |
| Propriétaire : | D. Calvert |
| Skipper : | D. Calvert |
| Architecte : | A. Castro |
| Chantier : | Wilson & Goode |
| Matériaux : | Bois/Époxy |
| Année de construction : | 1984 |
| Longueur hors tout : | 12,21 m |
| Largeur au maître-bau : | 3,98 m |
| Tirant d'eau : | 2,18 m |
| Déplacement : | 5,869 t |
| Rating : | 30,3 pieds IOR |
| Voilerie : | North |
| Surface de voiles : | 78,46 m² |

# Challenger

| Nom du bateau : | CHALLENGER |
|---|---|
| Nationalité à la date de la prise de vue : | Royaume-Uni 1983 |
| Propriétaire : | L. Williams |
| Skipper : | L. Williams |
| Architectes : | D. Peterson/D. Allan-Williams |
| Chantier : | Southern Ocean Shipyards |
| Matériau : | Polyester |
| Année de construction : | 1980 |
| Longueur hors tout : | 24,26 m |
| Longueur à la flottaison : | 20,72 m |
| Largeur au maître-bau : | 6,10 m |
| Tirant d'eau : | 3,84 m |
| Déplacement : | 34,546 t |
| Rating : | 68,8 pieds IOR |
| Voilerie : | Hood |
| Surface de voiles : | 262 m² |

« Viens me donner un coup de main à bord cet après-midi », me dit Les Williams, « j'ai quelques invités qui ne tireront sans doute pas beaucoup sur les écoutes ». C'est cet après-midi-là pendant la Semaine de Cowes de 1983 que fut prise cette photo. Si Les m'avait demandé de l'aider, c'est que nous avions déjà parcouru plus de 2 000 milles à deux sur *Challenger*. Les invités en question étaient la princesse Alexandra, marraine du bateau, et son mari Angus Ogilvy qui résidaient à bord du yacht royal *Britannia*.

Des journées comme celle-là ont été rares dans la vie déchirée par les dissensions de ce maxi qui n'a jamais tenu ses promesses pour de nombreuses raisons. Dessiné en commun par David Allan-Williams et Doug Peterson, *Challenger*, premier de la série des Ocean 80, fut construit en polyester par le chantier Southern Ocean Shipyard de Poole. Baptisé initialement *Ocean Greyhound*, du nom de la compagnie d'autocars qui le sponsorisait, il prit part au Tour de l'île de Wight de 1980 peu après sa mise à l'eau.

Il avait à l'époque un gréement fractionné et son manque de préparation l'empêchait d'envoyer plus qu'une grand-voile arisée. Malgré tout, il parvint presque à égaler à moins d'une minute le record établi par *Mistress Quickly*. Le potentiel de vitesse était clairement là, mais il n'est jamais parvenu à le développer pleinement, sans doute parce qu'il n'a jamais bénéficié d'une garde-robe complète.

La première année, *Ocean Greyhound* partit pour les États-Unis et perdit presque son mât dans le cyclone George. L'année suivante, sous le nom de *FCF Challenger*, il participa à la Course autour du monde de 1981 où il cassa son mât à exactement 1 000 milles de l'arrivée terminant sous gréement de fortune. Avec un nouveau mât gréé en tête et sous le nom de *Stevens Lefield Challenger*, il participa au Tour de l'Angleterre de 1982, puis partit faire un an de charter aux Antilles. En septembre 1983 sa carrière se termina brusquement lorsque après une série de conflits financiers il se retrouva sur le quai de Swanwick à côté de Southampton.

# Charles Heidsieck III

Alain Gabbay est ce jeune skipper qui a surpris tout le monde en gagnant la seconde étape de la Course autour du monde de 1977 sur un bateau qu'on ne s'était pas beaucoup fatigué à entretenir, *33 Export*. Cette victoire lui permit d'obtenir un budget important pour l'édition suivante de la course et de se présenter au départ avec un bateau neuf et bien préparé capable de gagner en temps compensé, *Charles Heidsieck III*.

C'était le seul objectif de Gilles Vaton en dessinant cette coque de 20,30 mètres et il le fit sans aucune concession au confort. La cabine n'a pas la hauteur sous barrot et seul le quart en bas disposait de couchettes, l'espace disponible étant avant tout consacré aux voiles.

Gabbay avait attaché une importance toute particulière à la mise au point en engageant le bateau dans de nombreuses courses avant le grand départ, le rebaptisant *Champagne Charlie* pour l'occasion afin d'éviter les réclamations basées sur la règle 26. Après s'être mesuré aux meilleurs bateaux du SORC, il courut toutes les courses de maxis d'Amérique. Le bateau y fit la preuve qu'il savait bien se comporter dans n'importe quelles circonstances et tout particulièrement dans les conditions difficiles du SORC. En le construisant en aluminium, les chantiers Pouvreau en avaient fait un bateau léger mais solide, à l'époque où la jupe arrière n'était pas encore pénalisée. Juste avant la Whitbread de 1981, le bateau participa à la Transat en Double où il finit troisième des monocoques et neuvième au classement général.

Dans la Course autour du monde, tout commença très bien. A la surprise générale, *Charles Heidsieck III* se classa second à Cape Town en temps réel et en temps compensé et répéta le même classement à Auckland. Quand les petits bateaux dominèrent la troisième étape, c'est tout naturellement lui qui se classa en tête du temps compensé avec onze heures d'avance sur *Kriter IX* et trente-quatre sur *Flyer*. Il semblait alors qu'il ne lui restait plus autre chose à faire qu'à marquer *Kriter* jusqu'à l'arrivée pour être sûr de la victoire. C'est ce que fit Gabbay, sans toutefois surveiller suffisamment ce que *Flyer* faisait en tête. Coincé par l'anticyclone de l'Atlantique Nord, il termina trente heures derrière *Flyer* en temps compensé. Si près, et pourtant...

| Nom du bateau : | CHARLES HEIDSIECK III |
|---|---|
| Nationalité à la date de la prise de vue : | France 1981 |
| Propriétaire : | Charlie Ocean |
| Skipper : | A. Gabbay |
| Architecte : | G. Vaton |
| Chantier : | Pouvreau |
| Matériau : | Aluminium |
| Année de construction : | 1980 |
| Longueur hors tout : | 20,30 m |
| Longueur à la flottaison : | 16,40 m |
| Largeur au maître-bau : | 4,74 m |
| Tirant d'eau : | 3,30 m |
| Déplacement : | 20,19 t |
| Rating : | 54,4 pieds IOR |
| Voilerie : | Hood |
| Surface de voiles : | 183 m² |

# Chrismi II

| Nom du bateau : | CHRISMI II |
|---|---|
| Nationalité à la date de la prise de vue : | États-Unis 1982 |
| Architecte : | M. Francis |
| Chantier : | Tréhard Constructions Navales |
| Matériau : | Aluminium |
| Année de construction : | 1981 |
| Longueur hors tout : | 26 m |
| Longueur à la flottaison : | 21,50 m |
| Largeur au maître-bau : | 5,80 m |
| Tirant d'eau : | 3,75 m |
| Déplacement : | 60 t |
| Voilerie : | Hood |
| Surface de voiles : | 364 m² |

Quand ils n'ont pas à passer par les figures imposées de l'IOR, les architectes peuvent s'exprimer librement et dessiner des voiliers rapides et marins. Et pourtant on a l'impression que la jauge IOR garde une influence sur leur mode de pensée. En s'attaquant aux plans de *Chrismi II*, Martin Francis relevait le défi de la conception d'un bateau rapide principalement destiné au charter.

Avec ses 26 mètres, *Chrismi II* combine vitesse et luxe. Les aménagements comportent six cabines doubles, chacune avec son cabinet de toilette pour répondre à la demande de clients qui aiment leurs aises à bord et apprécient l'atmosphère traditionnelle de l'acajou sans vouloir renoncer à un confort moelleux.

*Chrismi II* a tout cela à la fois. Tout en débordant de luxe, il garde des performances de bête de course dues à sa construction en aluminium par le chantier de Christian Tréhard à Biot, près d'Antibes.

Le bateau fit sensation lorsqu'il arriva aux Antilles où il gagna la Course Guadeloupe-Antigua. Cette photo fut d'ailleurs prise lors de la Semaine d'Antigua.

*Chrismi II* et son sister-ship *Concorde* pratiquent le charter aux Antilles l'hiver et en Grèce l'été, ce qui leur fait traverser l'Atlantique deux fois par an.

# Disque d'Or 3

| Nom du bateau : | DISQUE D'OR 3 |
|---|---|
| Nationalité à la date de la prise de vue : | Suisse 1980 |
| Propriétaire : | P. Fehlmann |
| Skipper : | P. Fehlmann |
| Architecte : | B. Farr |
| Chantier : | Pouvreau |
| Matériau : | Aluminium |
| Année de construction : | 1980 |
| Longueur hors tout : | 17,78 m |
| Longueur à la flottaison : | 13,75 m |
| Largeur au maître-bau : | 5,04 m |
| Tirant d'eau : | 2,76 m |
| Déplacement : | 14,176 t |
| Rating : | 46,6 pieds IOR |
| Voilerie : | Hood |

Nous voyons ici le troisième des *Disque d'Or* de Pierre Fehlmann, un bateau de 17,80 mètres dessiné par Bruce Farr en vue de la Whitbread de 1981. Fehlmann visait la difficile victoire en temps compensé, trois des quatre précédentes éditions ayant montré que c'était cette taille de bateau qui avait les meilleures chances d'y parvenir.

Skipper extrêmement minutieux dans la préparation de ses courses, Fehlmann avait décidé de participer à un maximum d'épreuves au large, incluant dans son programme le SORC et la Semaine d'Antigua. Malheureusement, alors que le bateau avait été conçu comme un déplacement léger, on avait péché par excès lors de la construction pour lui donner la solidité nécessaire dans les mers du Sud, ce qui fait que *Disque d'Or* ne termina que quatrième.

Le bateau participa ensuite à une autre Course autour du monde, le Trophée BOC en solitaire, cette fois mené par le Sud-Africain Bertie Reed, sous le nom de *Stabilo Boss*.

# Kialoa IV

Rares sont les ports qui n'ont pas vu danser les T-shirts rouges des équipiers de *Kialoa*. En effet, sur le bateau de Jim Kilroy on se déchaîne aussi bien sur l'eau qu'à terre. A chaque fois qu'il y a une régate importante quelque part, *Kialoa IV* est là ou plutôt était là, car pour rester au plus haut niveau c'est sur *Kialoa V* sur plans German Frers que se déchaînent maintenant les équipiers.

Dessiné par Ron Holland pour une construction en composite, *Kialoa IV* était le premier d'une nouvelle race de maxis de plus de 80 pieds (24,38 mètres) de long. Il comportait à l'intérieur un squelette tubulaire destiné à absorber les compressions du mât et de la quille qui sont extrêmement élevées sur ce type de bateau. *Kialoa IV* a été construit au chantier Kiwi Yachts en Floride chez le beau-frère de Ron Holland, Gary Carlin. Dessiné après le Fastnet de 1979, il sera mis à l'eau en novembre de l'année suivante.

Jim Kilroy commença immédiatement à le faire courir contre son prédécesseur qu'il avait l'intention de transformer plus tard pour la croisière. C'était sans doute la première fois depuis Sir T.O.M. Sopwith qu'un propriétaire disposait ainsi de deux grands bateaux de course. Connaissant parfaitement les performances du premier, il était facile d'en déduire les aptitudes du deuxième.

Cette méthode eut une influence très bénéfique sur les premières sorties de *Kialoa IV* qui commença immédiatement à bien se classer, quoique avec une certaine irrégularité au départ. Mais à mi-saison tout était rentré dans l'ordre et il gagna les Seahorse Maxi Series de 1980 qui comprenaient une course retraçant le parcours de la première Coupe de l'America. A partir de là, il a remporté tout ce qu'il a voulu pendant trois ans dans les courses de maxis dans le monde entier. Mais son propriétaire ne dédaigne pas pour autant les courses moins sérieuses comme le montre cette photo prise lors de la Semaine d'Antigua.

| Nom du bateau : | KIALOA IV |
| --- | --- |
| Nationalité à la date de la prise de vue : | États-Unis 1982 |
| Propriétaire : | J. Kilroy |
| Skipper : | J. Kilroy |
| Architecte : | R. Holland |
| Chantier : | Kiwi Yachts |
| Matériaux : | Polyester/Kevlar |
| Année de construction : | 1980 |
| Longueur hors tout : | 24,48 m |
| Longueur à la flottaison : | 19,29 m |
| Largeur au maître-bau : | 5,65 m |
| Tirant d'eau : | 3,79 m |
| Déplacement : | 35,652 t |
| Rating : | 69,6 pieds IOR |
| Voilerie : | Hood |
| Surface de voiles : | 262,9 m² |

# Colt International

Lorsqu'il a participé au Fastnet et aux Seahorse Maxi Series de 1985, *Colt International* n'a pu garder que la seconde partie de son nom pour remplir les conditions imposées par la règle 26 de l'IYRU. Mais pour lui ce n'était qu'une mise en jambes avant ce qui constituait l'objectif principal de son propriétaire : la Transat en Double Carlsberg organisée l'année suivante.

Pour cette course, le bateau fut avantagé dès le départ par sa construction en polyester « à l'épreuve des balles » par Nautor sur plans German Frers. C'était un Swan 59 et comme tel il ne craignait rien des rigueurs de l'Atlantique Nord.

Malheureusement, il connaîtra des problèmes de régulateur d'allure dès le début de la course, se maintenant pourtant en tête des monocoques de plus de 18 mètres jusqu'à 400 milles de l'arrivée où il se fera dépasser par deux bateaux construits spécialement pour ce type de course.

Nautor a construit en tout quatorze Swan 59, surtout dans la version croisière, certains étant munis d'une dérive. Comme sur tous les Swan, tout y est luxueux jusqu'au moindre détail, ce qui permet de se demander comment l'équipage de *Colt International* a pu obtenir d'aussi bons classements avec un bateau standard de chantier alors que dans chaque type de course il avait affaire à des unités construites spécialement pour l'épreuve en question.

| Nom du bateau : COLT INTERNATIONAL | |
|---|---|
| Nationalité à la date de la prise de vue : | Finlande 1985 |
| Propriétaire : | Ocean Racing OY. |
| Architecte : | G. Frers |
| Chantier : | Nautor |
| Matériaux : | Polyester/Mousse |
| Année de construction : | 1984 |
| Longueur hors tout : | 18,38 m |
| Longueur à la flottaison : | 14,69 m |
| Largeur au maître-bau : | 4,99 m |
| Tirant d'eau : | 3,40 m |
| Déplacement : | 21,732 t |
| Rating : | 44,7 pieds IOR |
| Surface de voiles : | 155,75 m² |

# New Zealand 7

| Nom du bateau : | NEW ZEALAND 7 |
| --- | --- |
| Nationalité à la date de la prise de vue : | Nouvelle-Zélande 1986 |
| Propriétaire : | BNZ America's Cup Challenge |
| Skipper : | C. Dickson |
| Architectes : | B. Farr/R. Holland/ L. Davidson/R. Bowler |
| Chantiers : | McMullen & Wing/ Marten Marine Industries |
| Matériau : | Polyester* |
| Longueur hors tout : | 19,50 m |
| Longueur à la flottaison : | 14,10 m |
| Largeur au maître-bau : | 3,95 m |
| Tirant d'eau : | 2,70 m |
| Rating : | 12 M JI |
| Voileries : | North/Hood/Sobstad/ Lidgard/Atelier propre |

* Polyester : La revue française *Voiles & Voiliers* indique que « la coque des 12 Mètres néo-zélandais utilisait la mousse Divinycell comme matériau inerte (le cœur du sandwich) et du tissu de verre qualité E comme peaux extérieures, le tout stratifié sous vide et lié avec des résines époxy ». On est loin du vulgaire « polyester » (*glass-fibre* ou *GRP* en anglais). (N.d.T.)

La Nouvelle-Zélande est un pays où il y a plus de maîtres voiliers par habitant que partout ailleurs dans le monde. Ce qui signifie soit que ces voiliers sont incroyablement improductifs soit, plus vraisemblablement, qu'on y navigue davantage qu'ailleurs. Si Auckland, siège du défi néo-zélandais pour la Coupe de l'America, a pour surnom la Ville des Voiles, c'est l'ensemble de ce pays de trois millions et demi d'habitants que le syndicat a rapidement pu compter comme supporters.

*New Zealand 7* a connu une réussite énorme. Tout d'abord, la pression nationaliste a été assez forte pour persuader les trois meilleurs architectes kiwis (quelques-uns disent même les trois meilleurs architectes du monde), Laurie Davidson, Bruce Farr et Ron Holland, de travailler ensemble. Le résultat fut extraordinaire. Lors du Championnat du monde des 12 Mètres, l'un de leurs prototypes en polyester*, *New Zealand 5*, termina second et cela encouragea considérablement la collecte de fonds en Nouvelle-Zélande.

Le troisième 12 M JI en plastique était la synthèse des deux précédents bateaux à laquelle venait s'ajouter l'expérience de quelques mois de navigation de conserve et les enseignements du Championnat. De plus, le nouveau bateau bénéficiait du meilleur équipage au monde, meilleur même que celui de Dennis Conner, mené par Chris Dickson que le journaliste britannique Ian Wooldridge dépeindra comme le skipper « aux yeux bleu acier de commandant de sous-marin ».

Pendant presque tout l'été, *New Zealand 7* a été pratiquement invincible. Durant la totalité des trois round-robins, seul Conner a pu le battre ; ce qui lui a permis d'aborder les demi-finales avec à son actif le record de 33 victoires pour une seule défaite. Et la manière dont les Kiwis ont alors démoli *French Kiss* a été presque indécente : 4 à 0, les Français ne prenant l'avantage qu'une seule fois sur le plan d'eau. *New Zealand 7* avait de la vitesse en réserve.

Le couperet est tombé lorsqu'il s'est trouvé face au bourreau lors de la finale des challengers de la Coupe Louis Vuitton. Mais la partie ne fut pas totalement inégale ; *New Zealand 7* parvint à gagner la troisième régate, profitant d'une avarie de matériel de *Stars & Stripes* pour prendre l'avantage à la deuxième bouée et le conserver jusqu'à l'arrivée après cinquante-cinq virements pendant le bord de près final. En fin de compte, c'est tout de même Conner qui a eu le dessus.

# Container

Udo Schütz avait fait construire ce bateau de 32,3 pieds de rating pour essayer d'être sélectionné dans l'équipe allemande pour l'Admiral's Cup de 1983. Or, cette année-là, un trio de *one tonners* non seulement domina les sélections allemandes, mais emporta la Coupe elle-même. Schütz subit le même sort en 1985, mais ce *Container*-ci, car Schütz a eu plusieurs bateaux du même nom, fit partie de l'équipe allemande qui remporta la Sardinia Cup en 1984 et comme consolation fit partie de l'équipe autrichienne dans les deux Admiral's Cups.

En Sardaigne ce n'est qu'à un cheveu que l'équipe allemande a été victorieuse puisqu'elle n'avait qu'un demi-point d'avance. Il faut dire que l'écart aurait été beaucoup plus important si les Allemands avaient observé la règle de base de ce genre de compétition qui consiste à ne pas se créer d'ennuis et surtout à rester à l'écart de la salle de réclamation. Dans ce cas, ce n'est pas *Container* (barré par Ulli Libor) mais son sister-ship *Pinta* qui eut quelques problèmes.

Dans le dernier triangle, *Pinta* avait heurté *Panda*, à Hugh Welbourn, à la bouée d'empannage et s'était vu infliger une pénalité de 20 pour cent. Cette décision donnait à l'Italie un demi-point d'avance sur l'Allemagne. Mais tout fut remis en question par la réclamation suivante qui aboutit également à une pénalité de 20 pour cent pour un bateau de Papouasie Nouvelle-Guinée *Super Schtroumpf*. Les modifications de classement qui en résultèrent donnèrent un point supplémentaire à *Pinta* et les Allemands finirent par remporter la Sardinia Cup en plus de l'Admiral's Cup qu'ils avaient gagnée l'année précédente.

Il faut remarquer que la réclamation contre *Pinta* avait été à deux doigts de ne pas être entendue parce que *Panda* avait envoyé son pavillon de réclamation sous le pavillon de course et non au-dessus comme l'exigeaient les instructions de course. Il fallut que Lawrie Smith, le barreur de *Panda*, insiste beaucoup pour faire valoir que le règlement IYRU stipule que le pavillon B est toujours acceptable en dépit de ce qui peut figurer dans les instructions de course.

Lors de cette journée décisive, les skippers de *Container* et de *Pinta* s'étaient mis d'accord pour ne pas se gêner et ne courir pour le classement individuel par points que dans le dernier bord. Après l'infraction de *Pinta*, *Container* et Libor n'avaient même plus à se battre contre leur compatriote.

| Nom du bateau : | CONTAINER |
|---|---|
| Nationalité à la date de la prise de vue : | Allemagne 1985 |
| Propriétaire : | U. Schütz |
| Skipper : | U. Libor |
| Architectes : | Judel/Vrolijk |
| Chantier : | Schutz Werke |
| Matériaux : | Kevlar/carbone/nid d'abeille |
| Année de construction : | 1983 |
| Longueur hors tout : | 12,95 m |
| Largeur au maître-bau : | 4,11 m |
| Tirant d'eau : | 2,40 m |
| Déplacement : | 7,298 t |
| Rating : | 32 pieds IOR |
| Voilerie : | North |
| Surface de voiles : | 94,81 m² |

# *Italia*

| Nom du bateau : | ITALIA |
| --- | --- |
| Nationalité à la date de la prise de vue : | Italie 1986 |
| Propriétaire : | Consorzio Italia |
| Skipper : | A. Migliaccio |
| Architectes : | Giorgetti & Magrini |
| Chantier : | Baglietto |
| Matériau : | Aluminium |
| Année de construction : | 1986 |
| Longueur hors tout : | 19,55 m |
| Longueur à la flottaison : | 13,60 m |
| Largeur au maître-bau : | 3,85 m |
| Déplacement : | 27,5 t |
| Rating : | 12 M JI |
| Voilerie : | North |
| Surface de voiles : | 210 m² |

Le succès du premier défi italien pour la Coupe de l'America a incité le club le plus ancien du pays, le Yacht Club Italiano, à créer un second défi parallèle à celui de la Costa Smeralda. Pour ce faire, le syndicat commença par racheter *Victory '83* pour ensuite s'assurer les services de Ian Howlett comme architecte-conseil.

Ce défi fut celui de la grande classe, le fait que la maison Gucci en soit l'un des principaux sponsors n'y étant sans doute pas étranger. Les équipiers d'*Italia* étaient certainement les mieux habillés de toute la Coupe et il arrivait même parfois que leur rapidité à la manœuvre soit à la hauteur de leur élégance.

Les plans d'*Italia* portent la signature de Giorgetti & Magrini, mais on y sent très bien l'influence de Howlett. Pendant le Championnat du monde des 12 Mètres, le bateau avait une nette tendance à enfourner au vent arrière et il n'est pas rare que des équipiers se soient retrouvés à l'eau en rentrant le génois. Si les études avaient pu être poussées aussi loin que celles de *White Crusader*, il n'est pas exclu qu'*Italia* aurait pu participer aux épreuves finales de la sélection des challengers à l'issue des trois round-robins. Il sera un bon élément de départ pour le prochain défi du club.

# Local Hero III

« Va dans la direction du gros nuage noir et tu trouveras le vent. » Quel entraîneur d'équipe de voile ne l'a pas répété des milliers de fois ? Eh bien ce jour-là, pendant la Semaine de Cowes de 1985, la maxime fut mise en défaut, du point de vue tactique tout au moins. Du vent sous le nuage, ça oui il y en avait, mais pas du vent avec lequel on puisse faire grand-chose d'utile. Le Solent a le don de transformer momentanément une théorie parfaitement sensée en chaos le plus indescriptible. En fait, c'est peut-être l'une des raisons qui poussent les coureurs à revenir régulièrement s'ébattre sur ce terrain de jeux aquatique où comme des enfants ils tombent et s'écorchent les genoux.

Vu sa place dans le calendrier, la Semaine de Cowes devrait être une longue suite de régates dans des brises évanescentes où les gentlemen et leurs épouses goûteraient les plaisirs classiques de l'été anglais. Au lieu de quoi, nous nous retrouvons régulièrement depuis quelques années dans la pluie et le vent. Ou bien est-ce notre mémoire qui ne nous fait nous souvenir que des mauvaises années ?

Philippe Briand n'a certainement pas dessiné *Local Hero III* pour qu'il navigue avec un tel angle de gîte et il ne pensait sûrement pas qu'il aurait une dérive aussi importante que celle que nous voyons sur cette photo après un impressionnant départ au lof. Après avoir construit ce *one tonner*, Geoff Howison de High Tech Marine l'avait loué à John Ewart pour courir les sélections pour l'équipe britannique de l'Admiral's Cup de 1985.

Ce fut une saison très irrégulière pour *Local Hero III*. Il montra qu'il avait des capacités, mais sans jamais vraiment les réaliser pleinement malgré le beau monde qu'il y avait à bord. C'est comme s'il avait été condamné à rester au second plan, ou plutôt comme s'il s'agissait de l'un de ces bateaux pour lesquels la chance n'est jamais au rendez-vous. En tout cas, c'est ce dont était persuadé Geoff Howison puisqu'il l'a repassé au chantier pendant l'hiver pour lui faire quelques modifications et le repeindre complètement, allant même jusqu'à le rebaptiser *Local Hero IV*. Mais même cela n'a pas suffi, tout au moins dans un premier temps. Ce n'est peut-être qu'une question de patience...

| Nom du bateau : | LOCAL HERO III |
|---|---|
| Nationalité à la date de la prise de vue : | Royaume-Uni 1985 |
| Propriétaire : | J. Howison/High Tech Marine |
| Skipper : | J. Howison |
| Architecte : | Ph. Briand |
| Chantier : | High Tech Marine |
| Matériaux : | Tissu de verre type S/Kevlar/ carbone/mousse |
| Année de construction : | 1985 |
| Longueur hors tout : | 12,12 m |
| Longueur à la flottaison : | 9,90 m |
| Largeur au maître-bau : | 3,45 m |
| Tirant d'eau : | 2,23 m |
| Déplacement : | 5,948 t |
| Rating : | 30,5 pieds IOR |
| Voileries : | Sobstad/North |
| Surface de voiles : | 95 m² |

# Coyote

| Nom du bateau : | COYOTE |
|---|---|
| Nationalité à la date de la prise de vue : | France 1985 |
| Propriétaire : | Coyacht |
| Skipper : | B. Troublé |
| Architectes : | Berret/Fauroux |
| Chantier : | Bénéteau |
| Matériaux : | Kevlar/carbone/mousse |
| Année de construction : | 1985 |
| Longueur hors tout : | 11,99 m |
| Largeur au maître-bau : | 3,67 m |
| Tirant d'eau : | 2,20 m |
| Déplacement : | 5,444 t |
| Rating : | 30,5 pieds IOR |
| Voilerie : | Sobstad |
| Surface de voiles : | 80,45 m² |

En 1984, Bruno Troublé avait fait la razzia des coupes de la Semaine de Cowes à la barre du prédécesseur de *Coyote*. L'ancien barreur olympique et skipper de la Coupe de l'America a trouvé dans le *one tonner* la taille parfaite pour s'immiscer dans la course au large. *Coyote* fait partie d'une petite série construite par Bénéteau et qui comprend également *Phœnix* à Lloyd Bankson. Construits côte à côte, les deux bateaux sont parfaitement identiques jusqu'au jeu de voiles Sobstad à tel point que la sélection de leur propriétaire respectif s'est jouée à pile ou face.

Les *one tonners* ont largement dominé le débat dans les Admiral's Cups de 1983 et 1985. Cette année-là, *Coyote* représentait la France et on le voit ici faire ce que ces déplacements relativement légers font de mieux : débouler sous spi dans la brise sur les eaux plates de Christchurch Bay. Il est intéressant de noter que Bruno Troublé a choisi d'envoyer en trinquette le génois numéro trois.

La participation de *Coyote* à la Sardinia Cup, également au sein de l'équipe française, a donné lieu à une tempête dans un verre d'eau entre un jury international imbu de son autorité et un comité de course compréhensif. Troublé qui attendait l'arrivée par la poste de la dernière page de son certificat de jauge l'a remis au jury avec cinq minutes de retard. En fait, quinze jours auparavant, le jury avait reçu un télex de la Fédération Française de Voile lui confirmant que le certificat était conforme et lui donnant toutes les informations nécessaires figurant sur celui-ci. N'importe quelle instance internationale reconnaît le télex comme un document légal et cela aurait dû d'autant plus être le cas ici que les aléas de la poste italienne sont bien connus. Non, le jury avait décidé de s'en tenir strictement à la lettre du règlement et élimina franchement *Coyote* de toutes les courses. Ce n'est que sur l'insistance expresse du comité de course du Yacht Club Costa Smeralda, agissant pour sauvegarder l'esprit sportif, que *Coyote* fut finalement réintégré. Troublé l'avait échappé belle !

# Di Hard

On fut quelque peu surpris à Cowes lorsqu'une équipe de Papouasie Nouvelle-Guinée annonça sa participation aux régates de l'Admiral's Cup. Et pourtant, il ne s'agissait pas d'un canular. Pour ses débuts, l'équipe fit une excellente impression, ce qui n'est guère surprenant si l'on considère que la majorité des équipiers étaient des Australiens expatriés. En fait, elle était considérée comme la seconde équipe australienne bien que les performances du *two tonner Di Hard* ne soient absolument pas de second ordre.

La photo a été prise en 1983 lors de la première régate *inshore* de la Champagne Mumm Admiral's Cup qui se soit jamais courue à l'extérieur du Solent. Pendant de nombreuses années, les visiteurs s'étaient plaints que les équipes britanniques étaient avantagées par le fait que les régates se courent sur un plan d'eau très difficile qu'elles connaissaient parfaitement. Ils disaient aussi que le Solent n'offrait pas des conditions assez représentatives de la valeur des bateaux et que ce qu'il fallait c'était des triangles olympiques courus sur des plans d'eau relativement dépourvus de courants. En 1983, leurs revendications furent satisfaites puisque l'une des courses *inshore* fut courue sur un parcours de triangle olympique dans Christchurch Bay. Il en sera de même en 1985, et en 1987 ce seront deux des trois *inshores* qui seront disputées dans Christchurch Bay.

La première édition restera dans toutes les mémoires. De gros nuages noirs arrivent par l'ouest tandis que le vent tourne sans cesse en passant par tous les points de l'échelle Beaufort. Ce qui fait que les équipages sont mis à l'épreuve d'une façon bien différente de ce à quoi ils s'attendaient, mais le photographe, lui, s'est délecté de la lumière et de la vivacité qu'elle donnait aux couleurs.

| Nom du bateau : | DI HARD |
|---|---|
| Nationalité à la date de la prise de vue : | Papouasie Nouvelle-Guinée 1983 |
| Propriétaire : | T. Woodward |
| Architecte : | G. Frers |
| Chantier : | McConaghy |
| Matériaux : | Kevlar/carbone |
| Année de construction : | 1983 |
| Longueur hors tout : | 12,54 m |
| Largeur au maître-bau : | 3,74 m |
| Tirant d'eau : | 2,27 m |
| Déplacement : | 6,895 t |
| Rating : | 31,8 pieds IOR |
| Voilerie : | Sobstad |

# Diva G

| Nom du bateau : | DIVA G |
|---|---|
| Nationalité à la date de la prise de vue : | RFA 1985 |
| Propriétaires : P. Westphal-Langloh/F. Diekell | |
| Skipper : | B. Beilken |
| Architectes : | Judel/Vrolijk |
| Chantier : | D & M/Y.W. Wedel |
| Matériaux : | Kevlar/carbone/mousse |
| Année de construction : | 1985 |
| Longueur hors tout : | 13,27 m |
| Largeur au maître-bau : | 4,19 m |
| Tirant d'eau : | 2,38 m |
| Déplacement : | 7,769 t |
| Rating : | 33,6 pieds IOR |

La menace de l'introduction d'une limite minimale de rating total, fixée à 95 pieds en 1987, pour chaque équipe disputant l'Admiral's Cup a mis fin aux équipes constituées de trois bateaux de 30 pieds, les petits ratings qui étaient toujours aux avant-postes par le passé. On a ainsi assisté à l'arrivée d'une nouvelle taille de bateau destiné à compléter l'équipe de deux *one tonners* : le bateau de 13,40 mètres dont la rating optimum se situe à 34,2 pieds IOR pour pouvoir embarquer un équipier supplémentaire.

L'équipe d'architectes formée par Friedrich Judel et Rolf Vrolijk avait en quelque sorte anticipé cette évolution en dessinant *Diva G* pour ses propriétaires allemands, Peter Westphal-Langloh et Freddy Diekell. Le bateau a été construit par le chantier Wedel en composite Kevlar-tissu de verre sur âme de mousse. Plus significatif est le fait que *Diva G* ait été un précurseur en matière de gréement fractionné pour cette taille de bateau, une évolution rendue possible par l'utilisation de films Kevlar-Mylar pour les voiles et d'importantes améliorations dans la technologie des mâts.

*Diva G* faisait partie de l'équipe victorieuse de l'Admiral's Cup de 1985. Bien que ses résultats ne se soient pas montrés tout à fait à la hauteur de ceux de ses coéquipiers, il a connu sa part de succès. Une réussite due largement à des manœuvres absolument impeccables, avec à la barre Berend Beilken, un vieux de l'Admiral's Cup puisqu'il a pratiquement fait partie de toutes les équipes allemandes depuis 1973, et comme navigateur et tacticien Eric von Krausse.

# Golden Apple of the Sun

| Nom du bateau : GOLDEN APPLE OF THE SUN | |
|---|---|
| Nationalité à la date de la prise de vue : | Irlande 1979 |
| Propriétaire : | H. Coveney |
| Skipper : | H. Cudmore |
| Architecte : | R. Holland |
| Chantier : | Souter |
| Matériau : | Bois moulé |
| Année de construction : | 1979 |
| Longueur hors tout : | 13,32 m |
| Largeur au maître-bau : | 3,96 m |
| Tirant d'eau : | 2,34 m |
| Déplacement : | 8,642 t |
| Rating : | 33,1 pieds IOR |
| Voilerie : | McWilliams |
| Surface de voiles : | 101 m² |

Le nom de ce bateau est tiré d'un poème de W.B. Yeats intitulé *Song of Wandering Aengus*. *Golden Apple of the Sun* avait un sister-ship du nom de *Silver Apple of the Moon* et ils ont été tous deux construits en bois moulé par le chantier Souter de Cowes pour courir les sélections de l'équipe irlandaise pour l'Admiral's Cup de 1979. *Golden Apple* barré par Harold Cudmore et ayant à son bord l'architecte Ron Holland fut sélectionné, tandis que *Silver Apple* était loué à l'équipe suisse.

On le voit ici au départ du Fastnet de triste mémoire, sortant du Solent au près sous un ciel de plomb. Le pire était à venir. Pendant la tempête, après avoir viré le phare, *Golden Apple of the Sun* cassera son safran comme beaucoup d'autres. Pendant que l'équipage était en train de mettre en place un gouvernail de fortune, ils furent survolés par un hélicoptère qui leur proposa de les hélitreuiller. La météo annonçant un renforcement du vent (qui finalement ne se produisit pas), l'équipage décida d'abandonner le bateau et de revenir le chercher le lendemain en laissant bien en évidence sur la descente un petit mot qui disait : « Partis déjeuner ! »

# Nirvana

Il y a actuellement dans le domaine des maxis une tendance très nette à concevoir des bateaux faits uniquement pour gagner les maxi-séries qui sont des courses de la journée, en accordant une importance toute secondaire à la vie à bord des équipiers qui devront parfois leur faire traverser des océans. On produit ainsi d'énormes coques vides grandes comme des cathédrales avec juste un gros moteur au milieu pour des questions de rating.

Ce n'était pas le point de vue de Marvin Green lorsqu'il fit construire *Nirvana*. Mais comme le bateau devait malgré tout être capable de gagner, une partie des aménagements destinés à la croisière fut rendue démontable. Dessiné par David Pedrick, *Nirvana* a été construit (en aluminium, ce qui va de soi en quelque sorte) par Palmer Johnson de Sturgeon Bay dans le Wisconsin, et a connu dès sa mise à l'eau en avril 1982 un succès considérable.

L'architecte a tiré au mieux parti des 24,69 mètres pour aboutir à un rating IOR de 69,7 pieds et le bateau marche en conséquence. Ici nous le voyons passer au près dans le clapot juste après le départ de la Channel Race de 1985. A l'arrivée, il était vainqueur de la classe A en temps compensé et avait pulvérisé le record de la course. Mais ce n'était pas là le premier record inscrit au palmarès de *Nirvana*. Peu après sa mise à l'eau, il avait battu celui de la course Newport-Les Bermudes auquel étaient venues s'ajouter la Gozo Race de Malte, la Block Island Race et, en 1984, la China Sea Race de Hong Kong à Manille après s'être battu de bout en bout avec *Condor*.

Ce n'était pas la première fois que les deux bateaux s'affrontaient. Lors de la course Sydney-Hobart de 1983, *Nirvana* avait terminé en tête, mais fut disqualifié sur réclamation après un incident lors d'un luffing match à 4 milles de l'arrivée. Une victoire que l'on a toutefois pas pu lui ôter a été celle du Fastnet de 1985 où il battit *Atlantic Privateer* de 23 secondes sur la ligne, établissant par là-même un nouveau record de la course.

| Nom du bateau : | NIRVANA |
|---|---|
| Nationalité à la date de la prise de vue : | États-Unis 1985 |
| Propriétaire : | M. Green Jr. |
| Architecte : | D. Pedrick |
| Chantier : | Palmer Johnson |
| Matériau : | Aluminium |
| Année de construction : | 1982 |
| Longueur hors tout : | 24,69 m |
| Longueur à la flottaison : | 20,42 m |
| Largeur au maître-bau : | 5,60 m |
| Tirant d'eau : | 3,95 m |
| Déplacement : | 38,483 t |
| Rating : | 69,7 pieds IOR |
| Voilerie : | Hood |
| Surface de voiles : | 314,2 m² |

# Equity & Law

Dans toutes les courses au large on retrouve des bateaux de série, comme c'est le cas ici pour le Baltic 55 *Equity & Law*. C'est parce qu'il avait apprécié les performances et la construction d'un bateau sorti de chez Baltic Yachts en Finlande, le Baltic 51 *Skopbank of Finland*, lors de la Course autour du monde de 1981, que le Hollandais Pleun Van der Lugt avait choisi ce plan Doug Peterson pour la Whitbread de 1985.

Après la seconde victoire de son compatriote Conny Van Rietschoten dans la course, Van der Lugt n'eut pas trop de mal à convaincre la société d'assurances hollandaise Equity & Law de le commanditer. En fait, les deux hommes se connaissaient depuis la Whitbread de 1981 pendant laquelle Van der Lugt avait fait le tour du monde en solitaire non-stop sur son bateau de 10,70 mètres, *De Zeeuwse*, communiquant par radio à chaque fois que les deux bateaux étaient à proximité l'un de l'autre.

A la fin du tour du monde, Van Rietschoten encouragea son compatriote à participer à l'édition suivante de la course, une idée qui de toute façon trottait dans la tête de Van der Lugt depuis qu'il avait été équipier de Chay Blyth sur le trimaran *Lonsdale Cars* (ex-*Brittany Ferries GB*) lors de la course Plymouth-Vilamoura-Plymouth. Est-ce sous l'influence de ses conversations avec Blyth ou de son passage dans l'armée de l'air hollandaise, toujours est-il que les équipiers que Van der Lugt recherchait pour la course devaient être « d'excellents marins, capables d'une totale abnégation et extrêmement tolérants ».

Toutes ces conditions réunies suffirent presque à lui assurer la victoire en classe D. Il ne la manqua qu'à cause d'une rupture de barre de flèche à mi-parcours de la première étape qui l'obligea à rallier un port pour réparer. *Equity & Law* et *Rucanor Tri Star* se marqueront constamment pendant les trois étapes suivantes, *Equity & Law* étant deux fois vainqueur de sa classe. Dans l'étape du Horn entre Auckland et Punta del Este, il se classa deuxième en temps compensé derrière le grand vainqueur de la course *L'Esprit d'Équipe*.

| Nom du bateau : | EQUITY & LAW |
|---|---|
| Nationalité à la date de la prise de vue : | Pays-Bas 1985 |
| Skipper : | P. Van der Lugt |
| Architecte : | D. Peterson |
| Chantier : | Baltic Yachts |
| Matériaux : | Polyester/balsa |
| Année de construction : | 1984 |
| Longueur hors tout : | 16,70 m |
| Longueur à la flottaison : | 14,40 m |
| Largeur au maître-bau : | 4,70 m |
| Tirant d'eau : | 3 m |
| Déplacement : | 16,219 t |
| Rating : | 44,4 pieds IOR |
| Surface de voiles : | 163,2 m² |

# French Kiss

| Nom du bateau : | FRENCH KISS |
|---|---|
| Nationalité à la date de la prise de vue : | France 1986 |
| Propriétaire : | S. Crasnianski-Kis France |
| Skipper : | M. Pajot |
| Architecte : | Ph. Briand |
| Chantier : | Alubat |
| Matériau : | Aluminium |
| Année de construction : | 1985 |
| Longueur hors tout : | 20,50 m |
| Longueur à la flottaison : | 14 m |
| Tirant d'eau : | 2,80 m |
| Déplacement : | 26 t |
| Rating : | 12 M JI |
| Voileries : | Voile Système/Tasker/Chéret |
| Surface de voiles : | 240 m² |

De l'avis général, *French Kiss* était certainement l'un des 12 Mètres modernes les plus élégants jusqu'au moment où son arrière a été sauvagement amputé de 80 centimètres à la veille des régates de la demi-finale des éliminatoires des challengers de la Coupe de l'America de 1987. C'était le premier 12 M JI dû au crayon de Philippe Briand dont la réputation n'était déjà plus à faire en matière de bateaux IOR. Parmi les concurrents présents à Fremantle, *French Kiss* était le seul à n'avoir pas été testé en bassin de carène, Philippe Briand se basant uniquement sur l'analyse de programmes de simulation informatique.

Pour se lancer dans l'aventure de la Coupe, Marc Pajot avait décidé d'abandonner pendant trois ans la course au large en multicoque. Le projet était financé par l'empire Kis de Serge Crasnianski, un financement qui causa bien des problèmes puisque le Royal Perth Yacht Club refusa de laisser le bateau courir sous ce nom, arguant qu'il était contraire à la règle 26 de l'IYRU. Les Français contournèrent l'interdiction en courant les entraînements du Championnat du monde des 12 M JI sous leur numéro de voile F7. Mais finalement le bateau put courir le Championnat lui-même sous son nom après que le jury international de Fremantle eut statué que les mots « French Kiss » constituent une expression connue et couramment utilisée avant d'avoir été choisie comme nom du bateau et que « Kiss » avec deux S ne représentait pas le nom de la société qui avait commandité le projet.

Après s'être rendu célèbre par cet avatar, *French Kiss* a fait de nouveau parler de lui en remportant deux des régates du Championnat. Dès lors, le défi français commença à être pris au sérieux et *French Kiss* continua à se comporter brillamment lors des premières régates de la Louis Vuitton Coupe remise au vainqueur des éliminatoires des challengers. Il réussit même à atteindre les demi-finales où il dut s'incliner devant *New Zealand 7*.

*French Kiss* remporta également un succès considérable par l'importance donnée à l'aspect graphique dans les moindres détails du défi. Tous les objets publicitaires portant son nom, à commencer par les tee-shirts, étaient très recherchés à Fremantle. En tous points, *French Kiss* fit montre de beaucoup de classe.

# *Gloria*

Combinant l'élégance du passé et une technologie futuriste, *Gloria* est vraiment un bateau superbe qu'à première vue l'on pourrait croire construit au début du siècle. En fait, il a été mis à l'eau en mars 1986.

Dessiné par Pieter Beeldsnijder qui vit à Edam, il a été construit en Hollande. Il est en acier, et inox aux endroits où cela a été jugé nécessaire, sans regarder à la dépense et cela se voit ! Construit pour la grande croisière autour du monde, le bateau devait avant tout être solide et résistant.

Pour limiter le poids dans les hauts, les superstructures sont toutes en aluminium. Les aménagements intérieurs sont en acajou avec six salles de bain en marbre et une cheminée dans chacun des deux salons. On y trouve aussi une bibliothèque, de superbes tableaux de marine et un piano. On avait demandé à l'architecte d'accorder une attention toute particulière au confort lors de la conception de cette goélette de 166 tonneaux.

Il était également essentiel que les voiles de *Gloria* se manœuvrent facilement. Les deux grand-voiles s'enroulent à l'intérieur de leur mât et toutes les autres voiles sont également à enrouler, ceux-ci étant entraînés par des moteurs hydrauliques commandés par une centrale Lewmar Commander qui contrôle également les principaux winches. Nous sommes en plein dans la navigation presse-bouton. Si le vent tombe, c'est un diesel Caterpillar de quatre cents chevaux équipé d'une hélice spéciale à quatre pales et pas variable qui prend le relais. Le seul inconvénient, car tout ne peut pas être parfait, c'est que *Gloria* a un tirant d'eau de quatre mètres.

| Nom du bateau : | GLORIA |
|---|---|
| Nationalité à la date de la prise de vue : | Royaume-Uni 1986 |
| Propriétaire : | Ragne Shipping |
| Architecte : | P. Beeldsnijder |
| Chantiers : | Jongert/Lowland Yachts |
| Matériau : | Acier |
| Année de construction : | 1986 |
| Longueur hors tout : | 38,40 m |
| Longueur à la flottaison : | 23,90 m |
| Largeur au maître-bau : | 6,90 m |
| Tirant d'eau : | 4,02 m |
| Voilerie : | Hood |
| Surface de voiles : | 640 m² |

# *Flyer I*

| Nom du bateau : | FLYER I |
|---|---|
| Nationalité à la date de la prise de vue : | Pays-Bas 1977 |
| Propriétaire : | C. Van Rietschoten |
| Skipper : | C. Van Rietschoten |
| Architectes : | Sparkman & Stephens |
| Chantier : | Huisman |
| Matériau : | Aluminium |
| Année de construction : | 1977 |
| Longueur hors tout : | 19,87 m |
| Longueur à la flottaison : | 15,21 m |
| Largeur au maître-bau : | 5 m |
| Tirant d'eau : | 3,05 m |
| Déplacement : | 25,084 t |
| Rating : | 48,4 pieds IOR |
| Voilerie : | Hood |
| Surface de voiles : | 169,73 m² |

Lorsque Cornelius Van Rietschoten décida de courir la Whitbread de 1977, il s'adressa aux architectes du bateau qui avait gagné l'édition précédente et leur donna carte blanche pour lui dessiner un bateau capable de gagner. La réponse de Sparkman & Stephens fut le ketch de 19,87 mètres *Flyer* dont les plans s'inspiraient beaucoup de ceux du Swan 65 *Sayula II*.

Les architectes new-yorkais avaient conçus un bateau de déplacement relativement lourd gréé en ketch à cause de la longueur des étapes de près et de la facilité de réduction que ce gréement permettait. C'en était presque trop facile. Cependant, pendant les trois premières étapes, *Flyer* devra se battre avec un Swan 65 gréé en sloop, *King's Legend*, qui perdra finalement toutes ses chances sur une erreur tactique dans l'étape du Horn. *Flyer* remportera la victoire en temps compensé avec deux jours et demi d'avance.

# Flyer II

Pour la troisième Whitbread, celle de 1981, le but de Van Rietschoten était de terminer premier chaque étape. Il demanda donc à German Frers de lui dessiner à cet effet un maxi qu'il fit une nouvelle fois construire en alliage d'aluminium par Wolter Huisman. Avec ses 23,16 mètres de long le bateau avait un rating de 67,7 pieds IOR. Pour le mettre au point, il fut engagé dans un grand nombre de courses de part et d'autre de l'Atlantique lors desquelles l'équipage fit la chasse aux points faibles afin d'y remédier avant de s'aligner au départ.

*Flyer II* se révéla le bateau idéal pour que son propriétaire parvienne à ses fins : il était rapide et son équipage prenait un plaisir extrême à le pousser au maximum. Mais Conny ne se ménagea pas non plus

lui-même et fut victime d'une légère crise cardiaque pendant la seconde étape en plein océan Indien. Il fut soigné par radio par le médecin du bateau le plus proche qui se trouvait être le rival de *Flyer II*, *Ceramco New Zealand*. Pendant tout le temps de son indisponibilité, Van Rietschoten avait exigé que ses équipiers ne lèvent pas le pied, ce qu'ils firent et lorsque les médecins d'Auckland le déclarèrent bon pour le service, il décida de continuer la course pour réaliser l'objectif qu'il s'était fixé. En fait, il fut comblé bien au-delà de ses espérances lorsque *Charles Heidsieck III* prit une mauvaise option dans l'anticyclone de l'Atlantique Nord permettant à *Flyer II* de réaliser l'étonnant doublé d'une victoire en temps réel et en temps compensé.

| Nom du bateau : | FLYER II |
|---|---|
| Nationalité à la date de la prise de vue : | Pays-Bas 1981 |
| Propriétaire : | C. Van Rietschoten |
| Skipper : | C. Van Rietschoten |
| Architecte : | G. Frers |
| Chantier : | Huisman |
| Matériau : | Aluminium |
| Année de construction : | 1980 |
| Longueur hors tout : | 23,16 m |
| Longueur à la flottaison : | 19,81 m |
| Largeur au maître-bau : | 5,49 m |
| Tirant d'eau : | 3,57 m |
| Déplacement : | 30,386 t |
| Rating : | 67,7 pieds IOR |
| Voilerie : | Hood |

# Great Britain II

| Nom du bateau : | GREAT BRITAIN II |
|---|---|
| Nationalité à la date de la prise de vue : | Royaume-Uni 1977 |
| Propriétaire : | Chay Blyth |
| Architecte : | A. Gurney |
| Chantier : | Bayside Marine |
| Matériaux : | Sandwich polyester/Airex |
| Année de construction : | 1973 |
| Longueur hors tout : | 23,64 m |
| Longueur à la flottaison : | 20,18 m |
| Largeur au maître-bau : | 5,32 m |
| Tirant d'eau : | 2,83 m |
| Déplacement : | 38,129 t |
| Rating : | 69,2 pieds IOR |
| Surface de voiles : | 268 m² |

Il n'est pas possible qu'il existe jamais un bateau qui trace un sillage en course plus long que celui de *Great Britain II*, même *Britannia*. Il a couru cinq Courses autour du monde, soit au total 130 000 milles, et en a certainement fait au moins autant entre le charter et les autres courses.

*Great Britain II* a été construit en sandwich de mousse par Bayside Marine à Sandwich pour Chay Blyth et son équipage de parachutistes pour la première Whitbread. Commandité par Jack Hayward, un homme connu pour ses convictions patriotiques, il fallait que le bateau soit intégralement britannique sans aucun apport étranger. Mais ce fut néanmoins un expatrié, Alan Gurney, qui le dessina en extrapolant les plans de *Windward Passage*.

Dans cette première course, *Great Britain II* connut des hauts et des bas. D'abord Blyth et son équipage mirent un certain temps à se mettre le bateau en main et ils eurent l'infortune de voir un équipier disparaître dans l'océan Indien. Mais ils établirent également le record de la course en 144 jours et 10 heures. Un record que le bateau, mené encore une fois par un équipage de militaires, battra lui-même en gagnant la Course des Clippers du *Financial Times* en un peu plus de 134 jours, après une seule escale à Sydney.

Chay Blyth l'utilisera ensuite pour faire du charter et c'est avec à bord un équipage payant et Rob James comme skipper qu'il prendra le départ de la seconde Whitbread de 1977. James consacra la première étape à former ses équipiers, bien décidé cependant à battre le record de Blyth dans les trois autres — il y parviendra, de dix jours.

Quatre ans plus tard, le bateau, qui appartenait alors à Cecilia Unger, reprit à nouveau le départ gréé en sloop et avec une nouvelle fois Blyth comme skipper. Baptisé cette fois *United Friendly*, il parviendra juste à battre le temps de sa première course. C'est avec Bob Salmon qu'il repartira pour la quatrième Whitbread de 1985, sous le nom cette fois de *Norsk Data GB*. Il semblait qu'il allait bien réussir à battre encore une fois son meilleur temps lorsque le vent tomba pendant la dernière étape et qu'il dut se contenter d'un parcours en 138 jours. On se demande bien si *Great Britain II* sera à nouveau là en 1989 ou si vraiment les organisateurs oseront donner le départ sans lui.

# High Roler

*High Roler* a été construit pour Bill Power par Eric Goetz en composite fibre de carbone et tissu de verre qualité S et mis à l'eau juste avant que ne commence le SORC 1985. Mesurant 13,03 mètres pour un rating de 33,5 pieds, il se plaça très vite aux avant-postes de sa classe. Les architectes californiens Nelson-Marek avaient choisi un gréement en tête et s'il fut sélectionné dans l'équipe américaine pour l'Admiral's Cup à Newport ce fut de justesse, le comité ayant décidé que ne seraient admis à courir les sélections que des bateaux de moins de 33,5 pieds IOR alors qu'il avait eu auparavant un rating de 33,6 pieds.

A Cowes, *High Roler* se révéla le meilleur de l'équipe américaine. Dans la seconde régate *inshore*, par petite brise de nord, Power suivit, peut-être sans le savoir, un vieil adage du Solent qui dit qu'il faut monter nord quand le vent vient du nord. Ceux qui ce jour-là partirent de l'autre côté s'en mordent encore les doigts. Power continua à tirer son épingle du jeu en montant sur la bouée Gaff, ce qui lui permit de terminer avec deux minutes d'avance et d'emporter le très élégant Corum Trophy.

Lors de la troisième *inshore*, *High Roler* se classa troisième derrière *Phoenix* et *Caiman*, et dans le Fastnet premier des gros ratings et huitième derrière sept *one tonners*.

Pour Bill Power, la saison 1985 se poursuivit avec succès puisque, de retour à San Francisco moins d'un mois après le Fastnet pour courir les Big Boat Series, il y remporta la première place dans sa classe. Dans le SORC 1986, *High Roler* fut vainqueur de la classe C et cinquième au classement général.

| Nom du bateau : | HIGH ROLER |
|---|---|
| Nationalité à la date de la prise de vue : | États-Unis 1985 |
| Propriétaire : | W. Power |
| Skipper : | W. Power |
| Architectes : | Nelson/Marek Inc. |
| Constructeur : | E. Goetz |
| Matériaux : | Carbone/tissu de verre type S |
| Année de construction : | 1985 |
| Longueur hors tout : | 13,03 m |
| Longueur à la flottaison : | 10,36 m |
| Largeur au maître-bau : | 4,06 m |
| Tirant d'eau : | 2,45 m |
| Déplacement : | 8,407 t |
| Rating : | 33,5 pieds IOR |
| Voilerie : | North |
| Surface de voiles : | 99,7 m² |

# *Philips Innovator*

Commandité par le géant de l'électronique Philips, dont le président Gerry Jeelof est un passionné de course au large, Dirk Nauta n'a pas eu de soucis financiers pour préparer un bateau pour la quatrième Whitbread de 1985. Comme l'ensemble du projet devait être hollandais, c'est Rolf Vrolijk qui fut choisi pour dessiner un bateau capable de gagner en temps compensé.

Comme le montrait l'étude des résultats des courses précédentes, cette victoire était toujours allée à des bateaux mesurant entre 18,30 et 19,80 mètres de long. *Sayula II* et *Flyer* faisaient tous les deux 19,80 mètres alors que *Charles Heidsieck III*, en tête de la troisième course jusqu'à ce qu'il perde le vent, en faisait 20,30. Nauta choisit un bateau de longueur hors tout un peu plus faible, 19,20 mètres, mais mesurant 17,06 mètres à la flottaison et aux lignes très pleines pour pouvoir porter beaucoup de toile au portant dans la brise.

Ses performances ne correspondirent pas vraiment aux attentes lorsque dans le cadre de son programme de mise au point le bateau courut le SORC où Nauta découvrit qu'il était très instable. De retour en Hollande, il décida en accord avec Vrolijk d'installer une quille plus lourde et un mât plus léger. La différence se fit sentir immédiatement.

*Philips Innovator* se classa second en temps compensé de la première étape de la Whitbread derrière *L'Esprit d'Équipe*. Il gagna la suivante en prenant la tête du classement ; le portant dans l'océan Indien lui était allé comme un gant. Malheureusement, il ne se classa que quatrième de l'étape du cap Horn et perdit tout espoir de victoire lors de la dernière étape. Classé second, Nauta déclara à l'arrivée, comme si cela ne faisait pas le moindre doute : « La prochaine fois ce sera un maxi. »

| Nom du bateau : | PHILIPS INNOVATOR |
|---|---|
| Nationalité à la date de la prise de vue : | Pays-Bas 1985 |
| Propriétaire : | D. Nauta |
| Skipper : | D. Nauta |
| Architecte : | R. Vrolijk |
| Chantier : | Aluboot |
| Matériau : | Aluminium |
| Année de construction : | 1984 |
| Longueur hors tout : | 19,20 m |
| Largeur au maître-bau : | 5,12 m |
| Tirant d'eau : | 3,33 m |
| Déplacement : | 22,859 t |
| Rating : | 52,2 pieds IOR |
| Voilerie : | Hood |
| Surface de voiles : | 198 m² |

# *Hitchhiker II*

| Nom du bateau : | HITCHHIKER II |
|---|---|
| Nationalité à la date de la prise de vue : | Australie 1985 |
| Propriétaire : | P. Briggs |
| Skipper : | N. Robins |
| Architecte : | G. Frers |
| Constructeur : | M. Baker |
| Matériaux : | Carbone/Divinycell |
| Année de construction : | 1985 |
| Longueur hors tout : | 12,19 m |
| Largeur au maître-bau : | 3,60 m |
| Tirant d'eau : | 2,12 m |
| Déplacement : | 5,843 t |
| Rating : | 30,4 pieds IOR |
| Surface de voiles : | 81,1 m² |

Quand on demandait à Peter Briggs qui il allait choisir pour dessiner son prochain bateau, il répondait : «J'ai été absolument ravi de celui que German Frers m'a dessiné la dernière fois, c'est pour cela que je me suis dit que j'allais faire encore un essai avec lui.» Et d'ajouter avec un grand sourire : «Il sera très différent de tout ce qu'il a fait jusqu'à présent.»

C'est par la suite que l'on sut qu'il devait s'agir d'un *one tonner* à gréement fractionné et que Frers avait renoncé à son conservatisme naturel pour aller dans le sens d'un déplacement plus léger. Briggs reconnut que le bateau ressemblerait beaucoup à ceux dessinés en France tout en assurant qu'il aurait ce quelque chose de magique en plus, propre à Frers, et qu'il remplacerait de façon plus que convenable le *two tonner* champion du monde sur lequel il courait jusqu'alors.

*Hitchhiker II* fut construit très soigneusement à Perth par Mike Baker en matériaux composites comprenant une âme en mousse Divinycell et des peaux extérieures en fibres de carbone et tissu de verre de type S. Malheureusement, il fut mis à l'eau très peu de temps avant les sélections de l'équipe australienne pour l'Admiral's Cup et même avec Noel Robins à la barre et un équipage de haut niveau il ne parvint pas à se sélectionner. Il courut donc sous les couleurs de la Papouasie Nouvelle-Guinée, avec à bord le nombre autorisé d'Australiens expatriés.

# Imp

Dès la minute de sa mise à l'eau, *Imp* rendit caducs tous les bateaux de course construits jusqu'alors. Dave Allen, son propriétaire californien, avait demandé à Ron Holland d'aller à fond dans le sens de l'innovation aussi bien au niveau du dessin que des techniques de construction pour produire un bateau rapide. Allen ne cessant de le presser d'aller toujours plus loin, Holland avait vraiment dessiné un bateau radical. Les deux hommes se connaissaient bien puisqu'ils avaient navigué ensemble sur le bateau de Gary Mull *Improbable*, leur sujet de conversation favori étant bien sûr ce qui rend rapide un bateau. Sur *Imp*, ils éliminèrent soigneusement tout ce qui faisait obstacle à la vitesse.

Holland avait carte blanche pour explorer toutes les voies possibles. Sa mission était, sans trop se soucier du rating IOR, de produire une coque extrêmement rapide d'une stabilité supérieure à la normale avec un arrière très large tranchant radicalement sur les arrières pointus à la mode à l'époque et destiné à améliorer les performances au portant dans la brise. Le résultat fut un bateau qui courait avec les *two tonners* alors que son rating était de plus d'un pied de moins.

Pour la construction, Holland travailla avec son beau-frère Gary Carlin, directeur du chantier Kiwi Yachts. A partir des idées essayées sur le *quarter tonner Business Machine*, ils mirent au point une armature complète en H à section carrée pour reprendre les compressions du gréement et de la quille. Ainsi la peau extérieure, en fibre de verre avec âme en balsa et quelques renforts en fibre de carbone, pouvait être très légère.

*Imp* gagna le SORC en réalisant une performance tout à fait remarquable et fit partie de l'équipe américaine pour l'Admiral's Cup en 1977. Cette année-là, le bateau se classa premier du Championnat individuel, gagnant la troisième régate *inshore* et le Fastnet. Il fit à nouveau partie de l'équipe deux ans plus tard, se montrant légèrement moins brillant, mais parvenant tout de même à être le meilleur de son équipe, troisième au classement général et cinquième lors du Fastnet de funeste mémoire.

| Nom du bateau : | IMP |
|---|---|
| Nationalité à la date de la prise de vue : | États-Unis 1979 |
| Propriétaire : | D. Allen |
| Skipper : | D. Allen |
| Architecte : | R. Holland |
| Chantier : | Kiwi Yachts |
| Matériaux : | Polyester/balsa |
| Année de construction : | 1977 |
| Longueur hors tout : | 12,03 m |
| Largeur au maître-bau : | 3,78 m |
| Tirant d'eau : | 2,09 m |
| Déplacement : | 6,35 t |
| Rating : | 30,9 pieds IOR |

# Pinta, Gitana VII
# et Marloo II

Trois *two tonners* à une bouée d'empannage au large de Porto Cervo pendant la Sardinia Cup de 1980. Les sillages respectifs indiquent un peu ce qui s'est passé, mais pas tout. Sur le premier bord de largue ils sont tous trois montés assez haut pour avoir finalement à redescendre sur la bouée plein vent arrière. S'ils l'ont fait, c'est qu'ils y ont été obligés d'abord parce que *Marloo II* a attaqué *Gitana VII* et ensuite parce qu'ils ont tous deux attaqué tour à tour *Pinta*.

Par contre, *Pinta* a veillé à protéger son engagement à l'intérieur et a sans doute essayé de faire route sur la bouée avant les deux autres. Il a réussi une manœuvre impeccable et a presque fini d'empanner sans trop perdre par rapport à la bouée. Le courant dû au vent qui existe au large de la côte de Sardaigne l'a cependant décalé d'une demi-longueur sous le vent de la bouée, ce qui n'empêche pas que sa position soit bien meilleure que celle des deux autres.

*Marloo II* a empanné tôt, espérant pouvoir passer derrière *Gitana VII*, mais ce faisant il s'est mis dans une position très dangereuse bâbord amures. Il doit s'écarter du bateau français et l'on a l'impression que *Gitana VII* n'est pas assez loin devant pour permettre au barreur de *Marloo II* de passer sur son arrière.

Tout dépend du cap exact vers la prochaine bouée. A en juger par la façon dont son spinnaker s'est dégonflé, *Pinta* a sans doute trop lofé. Mais en fait il semble que les trois bateaux vont sans doute aller jusqu'à la bouée suivante l'un derrière l'autre, bien dans l'axe et sans vitesse suffisante pour se dégager.

# Pinta

Ce plan Peterson issu d'*Eclipse*, le premier du championnat individuel de l'Admiral's Cup de 1979, a été construit au chantier Minneford pour Willi Illbruck. Si le bateau semblait un peu petit pour être construit en alliage d'aluminium, la formule permettait au propriétaire de faire effectuer des modifications importantes après la première saison.

Avant l'Admiral's Cup de 1981, Illbruck demanda à l'équipe d'architectes Judel-Vrolijk de lui indiquer les possibilités d'amélioration de son bateau. A la suite de leur étude (semblable à celles que Hans-Otto Schumann avait l'habitude de faire réaliser pour ses plans Sparkman & Stephens), la forme de l'étrave fut modifiée pour augmenter la longueur à la flottaison sur l'avant de 17 centimètres tandis que la position de la chaîne arrière était déplacée de 10 centimètres vers l'avant. Dans la foulée, *Pinta* reçut également une nouvelle quille. Ce n'était plus un bateau Peterson, mais un Judel-Vrolijk, le début d'une ère nouvelle pour les meilleurs bateaux allemands de course au large, en tout cas pour ceux que fera dessiner Illbruck par la suite.

Nous voyons ici *Pinta* au près dans la brise peu après le départ de la grande course de la Sardinia Cup 1980. Il y a assez de vent pour que seul un génois numéro cinq ait été envoyé et que tous les ris sauf le dernier aient été pris dans la grand-voile. Et si l'équipage était assis sur le liston au vent, le bateau passerait encore mieux dans cette mer hachée de Méditerranée devant la côte désolée et volcanique de la Costa Smeralda.

| Nom du bateau : | PINTA |
|---|---|
| Nationalité à la date de la prise de vue : | R.F.A. 1980 |
| Propriétaire : | W. Illbruck |
| Architecte : | D. Peterson |
| Chantier : | Minneford |
| Matériau : | Aluminium |
| Année de construction : | 1980 |
| Longueur hors tout : | 12,07 m |
| Déplacement : | 6,766 t |
| Rating : | 30,9 pieds IOR |

# I-Punkt

| Nom du bateau : | I-PUNKT |
|---|---|
| Nationalité à la date de la prise de vue : | R.F.A. 1985 |
| Propriétaire : | T. Friese |
| Skipper : | T. Friese |
| Architecte : | Judel-Vrolijk |
| Chantier : | Schütz/Y.W. Wedel |
| Matériaux : | Kevlar/carbone/nid d'abeille |
| Année de construction : | 1985 |
| Longueur hors tout : | 12,87 m |
| Largeur au maître-bau : | 3,97 m |
| Tirant d'eau : | 2,26 m |
| Déplacement : | 7,016 t |
| Rating : | 32 pieds IOR |
| Voileries : | North/Hood |
| Surface de voiles : | 93,27 m² |

Le Solent est un endroit d'humeur très changeante. Un jour c'est un véritable terrain de jeux pour yachtsmen, le lendemain un plan d'eau froid et lugubre. Entre les deux, il offre une très large gamme de conditions climatiques et de courants, ce qui est sans doute la raison pour laquelle tant de gens continuent à venir y naviguer. Et la Semaine de Cowes présente en général un inventaire à peu près complet de ces types de temps. Bien loin sont ces semaines douces et parfumées où il faisait bon prendre le thé accompagné de fraises à la crème sur la pelouse du Royal Yacht Squadron, immortalisées par l'ouvrage *Sacred Cowes* de « Bookstall » Smith (celui des librairies) et de son fils Anthony.

On se demande si le roi George V aurait accepté de courir sur *Britannia* par une journée comme celle-ci où les *one tonners* filent vers l'est devant un gros nuage qui laisse présager plus qu'une petite averse. S'il l'avait fait, on aurait sans doute demandé aux invités de descendre à l'intérieur pour permettre à Sir Philip Hunloke d'emmener le bateau vers une nouvelle victoire et il y aurait certainement eu dans le coin un Beken pour le fixer en image pour la postérité.

Et qu'aurait dit le roi des bateaux « jetables » d'aujourd'hui ? Nous voyons ici *I-Punkt* à Thomas Friese, un Allemand d'origine japonaise, qui en 1985 a couru pour l'Autriche n'ayant pu se qualifier dans l'équipe allemande pour l'Admiral's Cup. Et il n'est pas tellement étonnant qu'il n'y soit pas parvenu dans la mesure où *I-Punkt* n'avait été mis à l'eau que la veille des sélections. Construit sur plans Judel-Vrolijk par Udo Schütz et le chantier Wedel en sandwich de Kevlar et fibre de carbone sur une âme en nid d'abeille, la construction n'avait duré que vingt-huit jours, un délai si court n'étant possible que parce que le bateau était la réplique exacte de *Pinta* et *Container* et que les moules existaient déjà.

# *Jade*

| Nom du bateau : | JADE |
|---|---|
| Nationalité à la date de la prise de vue : | Royaume-Uni 1985 |
| Propriétaires : | L. & D. Wooddell |
| Skipper : | L. Wooddell |
| Architecte : | R. Humphreys |
| Chantier : | Thompson/Feloy |
| Matériaux : | Kevlar/carbone/mousse |
| Année de construction : | 1985 |
| Longueur hors tout : | 12,04 m |
| Largeur au maître-bau : | 3,44 m |
| Tirant d'eau : | 2,08 m |
| Déplacement : | 5,47 t |
| Rating : | 30,5 pieds IOR |
| Voileries : | Banks/North |
| Surface de voiles : | 77,86 m² |

La conception de *Jade* est une motion de confiance des propriétaires Larry et Debbie Wooddell à l'architecte Rob Humphreys qui avait déjà dessiné leur précédent *one tonner* du même nom. Celui-ci avait failli être sélectionné pour l'Admiral's Cup en 1983 et de l'avis général il aurait bien dû l'être. Ce fut l'un des trois bateaux à partir aux antipodes courir la Southern Cross Cup. Les Wooddell tenaient à le remplacer par un bateau radical dans la ligne tracée par les architectes français.

Dès le stade de la conception, l'ensemble du projet a été coordonné par David Howlett qui a supervisé la construction en matériaux composites par le chantier Thompson-Feloy. La méthode a produit un bateau rapide dès le départ, Debbie Wooddell collaborant elle-même largement à la mise au point en notant scrupuleusement chaque détail. Et le fait de pouvoir compter sur Rodney Pattisson comme barreur a bien sûr ajouté encore un plus aux chances de succès du bateau.

Pendant toutes les régates de sélection pour l'équipe britannique de 1983, il était clair que *Jade* serait le meilleur et sa sélection n'a jamais fait aucun doute ni pour la Coupe ni, et cela est tout aussi important, pour la One Ton Cup. Malheureusement, lors d'une régate en baie de Poole, le bateau se retrouva avec un trou dans la coque à la suite d'un abordage. Mais il n'est pas dans la manière de Wooddell et Howlett de se laisser abattre. Ils réparèrent dans la nuit et se présentèrent dès le lendemain sur la ligne de départ, demandant au jury international qu'on leur accorde comme réparation la moyenne des points de la course dans laquelle s'était produite l'avarie.

Cette année-là, *Jade* permit à la Grande-Bretagne de remporter la One Ton Cup pour la première fois depuis 1974. Cela le désignait tout naturellement comme le bateau à battre lors de l'Admiral's Cup et il souffrit sans doute d'être marqué par de nombreux équipages étrangers. Ayant en outre cassé son mât dans le Fastnet, il ne put ajouter le moindre trophée à sa One Ton Cup.

# Jennie M

Construit à Lymington par Green Marine sur plans German Frers, *Jennie M* faisait partie de cette meute de bateaux qui coururent les sélections de l'Admiral's Cup en 1985. Bien que toujours parmi les premiers, il ne fut pas sélectionné même avec Owen Parker comme skipper de fait, un rôle qu'il avait assumé parfaitement sur toute une série de *Morning Cloud*.

Mais la course au large n'est pas faite que de coupes et de sélections. Pour les bateaux basés dans le Solent il y a plus, par exemple le Championnat par points du Solent et le Championnat offshore du RORC, deux épreuves auxquelles *Jennie M* a participé avec succès. On le voit ici au portant partant vers l'est devant un grain de pluie très noir. Parker a décidé de ne pas amener le génois numéro quatre et de l'utiliser en trinquette.

Au début des années 70, Owen Parker a été l'un des premiers à garder un génois sous le spi, une technique qui a peu à peu été adoptée par beaucoup d'équipages. Aujourd'hui, les spis plus plats et plus larges d'épaules ainsi qu'une meilleure technologie des trinquettes ont tendance à faire considérer cette technique comme dépassée. Mais elle reste valable les jours de forte brise où l'on préfère que les équipiers restent le moins longtemps possible sur la plage avant, quand la voile d'avant est de petite surface et que le bord est court. Les courses par points du Solent sont souvent constituées de nomreux petits bords pour mettre les équipages à l'épreuve, ce qui est vraiment le cas les jours de forte brise comme ici.

| Nom du bateau : | JENNIE M |
|---|---|
| Nationalité à la date de la prise de vue : | Royaume-Uni 1985 |
| Propriétaire : | J. Meller |
| Architecte : | G. Frers |
| Chantier : | Green Marine |
| Matériaux : | Polyester/mousse |
| Année de construction : | 1985 |
| Longueur hors tout : | 13,52 m |
| Longueur à la flottaison : | 11,03 m |
| Largeur au maître-bau : | 4,04 m |
| Tirant d'eau : | 2,60 m |
| Déplacement : | 8,804 t |
| Rating : | 35 pieds IOR |
| Voileries : | North/Sobstad |
| Surface de voiles : | 106,6 m² |

# *Moonduster*

| Nom du bateau : | MOONDUSTER |
|---|---|
| Nationalité à la date de la prise de vue : | Irlande 1985 |
| Propriétaire : | D. Doyle |
| Skipper : | D. Doyle |
| Architecte : | G. Frers |
| Chantier : | Crosshaven Boatyard |
| Matériaux : | Bois/carbone |
| Année de construction : | 1981 |
| Longueur hors tout : | 15,61 m |
| Largeur au maître-bau : | 4,43 m |
| Tirant d'eau : | 2,70 m |
| Déplacement : | 14,085 t |
| Rating : | 39,8 pieds IOR |
| Voilerie : | McWilliams |
| Surface de voiles : | 142 m² |

Les histoires de *Moonduster*, cet admiraler de 15,60 mètres construit sur plans Frers pour Dennis Doyle, sont légion comme il convient au bateau d'un Irlandais du Royal Cork Yacht Club. Le fait que Doyle ait dû acheter le chantier Crosshaven Boatyard en plein milieu de la construction n'est que l'une de ces histoires parmi tant d'autres. Pendant deux Admiral's Cup, la coque d'acajou de *Moonduster* a été la fierté et le vaisseau amiral de l'équipe irlandaise. Personne n'oubliera comment lors de la première course de 1983, sous un ciel noir, il prit la tête de la flotte dans l'ouest du Solent et ne la lâcha pas jusqu'à la ligne d'arrivée.

Ses performances au large sont aussi dans toutes les mémoires, comme sa seconde place derrière *Midnight Sun* dans la Channel Race de 1981 ou le Fastnet de 1983 qu'il termina sans mât. C'est à cette occasion que Mary Doyle accueillit son mari en ces termes : « Dennis, si tu veux te mettre à la course motonautique, tu devrais t'offrir un bateau équipé d'un plus gros moteur ! » Et l'on se demande si, au moment où nous voyons ici *Moonduster* au départ du Fastnet suivant dans un vent d'ouest de 40 nœuds et plus, Dennis Doyle n'est pas en train de se dire qu'il aurait peut-être mieux fait de suivre le conseil de sa femme.

# Sidewinder

Il n'est pas rare que des coureurs de la côte est d'Angleterre fassent l'effort de venir jusqu'à Cowes à l'occasion de courses importantes. Lorsque Bob Watson vint dans le Solent avec *Cervantes* en 1971, il fut sélectionné pour l'Admiral's Cup que la Grande-Bretagne remporta cette année-là. Mais depuis quelque temps ces déplacements sont de plus en plus courants.

Même John Oswald, qui ne s'éloigne pratiquement jamais de sa Crouch bien-aimée, lui a fait des infidélités pour se faire dessiner par Hugh Welbourn un *one tonner* à gréement fractionné et a ensuite été jusqu'à le faire construire près de Lymington par Neville Hutton dans son chantier de Sadler's Farm, sur les marais de Pennington. D'un commun accord fut retenue une construction en fibre de verre sur une âme en cèdre pour donner une coque solide et légère qui conserverait ces propriétés pendant plusieurs années afin qu'Oswald puisse en tirer le maximum, d'abord dans les courses au niveau national et international, mais aussi lors de celles organisées par l'East Anglian Offshore Racing Association.

*Sidewinder* s'est attaqué en 1985 aux sélections de l'Admiral's Cup et à la One Ton Cup. L'année suivante, il a remporté la course Plymouth-San Sebastian en Espagne. En rentrant à Burnham-on-Crouch, il s'est arrêté à Cowes où se courait justement le Rocking Chair Trophy qu'il a emporté à la maison sans que cela ait l'air de lui coûter le moindre effort. La semaine suivante se courait la Semaine de Burnham où il se livra avec *Backlash* à un duel à couteaux tirés dont devait sortir le vainqueur de la Crouch. Il ne fut battu que de peu.

| Nom du bateau : | SIDEWINDER |
|---|---|
| Nationalité à la date de la prise de vue : | Royaume-Uni 1985 |
| Propriétaire : | J. Oswald |
| Skipper : | J. Oswald |
| Architecte : | H. Welbourn |
| Constructeur : | N. Hutton |
| Matériaux : | Polyester/cèdre |
| Année de construction : | 1984 |
| Longueur hors tout : | 12,13 m |
| Longueur à la flottaison : | 10,36 m |
| Largeur au maître-bau : | 3,70 m |
| Tirant d'eau : | 2,15 m |
| Déplacement : | 5,706 t |
| Rating : | 30,5 pieds IOR |
| Voileries : | Hood/Banks |
| Surface de voiles : | 80,45 m² |

# *Jubilation*

| Nom du bateau : | JUBILATION |
|---|---|
| Nationalité à la date de la prise de vue : | États-Unis 1985 |
| Propriétaire : | J. James |
| Skipper : | G. Jobson |
| Architecte : | G. Frers |
| Chantier : | Goetz |
| Matériaux : | Polyester/mousse |
| Année de construction : | 1983 |
| Longueur hors tout : | 16,40 m |
| Longueur à la flottaison : | 13,44 m |
| Largeur au maître-bau : | 4,73 m |
| Tirant d'eau : | 2,92 m |
| Déplacement : | 14,832 t |
| Rating : | 43,1 pieds IOR |
| Voilerie : | North |
| Surface de voiles : | 133,78 m² |

Ce n'est que peu de temps après que cette photo eut été prise que j'ai perdu toute chance de faire gagner à *Jubilation* la Queen's Cup. En effet, ce jour-là j'étais à la barre et nous nous dirigions vers l'une des bouées qui balisent l'entrée de Southampton Water. A bord se trouvait à l'occasion de la Coupe l'arrière-arrière-petit-fils de la reine Victoria qui avait offert le trophée au Royal Southampton Yacht Club, le prince Michael de Kent.

Nous étions à une allure qui est de celles que l'on préfère éviter : plein vent arrière dans beaucoup de brise et une mer en train de se former contre le courant. A cette allure on essaye en général d'éviter toute remontée au vent qui obligerait ensuite à faire deux empannages dont les risques font froid dans le dos. C'est vraiment la quadrature du cercle.

*Jubilation* a été construit en matériaux composites sur plans German Frers et fait 16,40 mètres de long. Son propriétaire, l'Américain Jack James, l'avait amené en Angleterre pour lui faire courir la Semaine de Cowes et le Fastnet, et, dès le début de la saison, son skipper Gary Jobson m'avait demandé de le renseigner sur les conditions locales. L'histoire des raisons de l'embarquement de Son Altesse Royale est trop longue à raconter, mais celle de la façon dont elle est tombée à l'eau vaut la peine d'être décrite.

La bouée était déjà presque par le travers lorsqu'une vague a soulevé l'arrière, poussant l'étrave sous le vent. J'eus beau me démener à la barre pour contrer le mouvement, *Jubilation* est parti en empannage chinois et pendant un moment qui m'a semblé durer un bon quart d'heure, il est resté planté liston dans l'eau. C'est alors que Son Altesse Royale est dégringolée depuis le côté au vent dans l'eau ! Heureusement, le prince est tombé dans les filières et, en bon sportif, a eu la présence d'esprit de s'y accrocher. Il va sans dire que l'incident a coûté à *Jubilation* la victoire dans la Queen's Cup.

# Justine IV

« X signifie facteur inconnu », aime à dire Frank X. Woods. En fait, il n'y a pas grand-chose d'inconnu dans *Justine IV*. Pour commencer, son nom est celui de la fille de Woods et le même que celui de son précédent bateau qui avait également été dessiné par Tony Castro et qui avait gagné la One Ton Cup quand elle avait eu lieu au large de Cork, en se classant premier de chacune des cinq régates.

Gagner, c'est ce que Frank Woods préfère dans la vie. Lorsqu'il a mis ce bateau en chantier, il a donc laissé fort peu de choses au hasard. Il a fait de nouveau confiance à Castro, lui commandant un petit rating pour l'Admiral's Cup de 1983 et a rassemblé autour de lui la « mafia » de Cork, à commencer par Harold Cudmore comme skipper. C'est ce qui a fait dire à Ron Holland : « Cette année, Castro va bien s'en tirer grâce à Harry ! » Par la suite *Justine IV* a démontré ses excellentes qualités qui lui ont mérité pendant deux années consécutives, sous le nom de *Whirlwind XI*, le titre de Bateau de l'Année du RORC.

*Justine IV* a été construit en sandwich fibre de verre et mousse avec de la résine vinylester comme matrice, par Killian Bushe qui a souvent été équipier d'avant de Cudmore et c'est Johnny McWilliams, un autre équipier, qui a fait les voiles. Le barreur était Robert Dix. Avec cet équipage, *Justine IV* a gagné chacune des sept régates de sélection pour l'équipe irlandaise de l'Admiral's Cup de 1983, remportant également la Morgan Cup et se classant premier du Championnat individuel offshore de l'Admiral's Cup et troisième au classement général individuel. Le X de Frank représente peut-être une inconnue, mais quelle qu'elle soit c'est certainement un facteur de réussite.

| Nom du bateau : | JUSTINE IV |
|---|---|
| Nationalité à la date de la prise de vue : | Irlande 1983 |
| Propriétaire : | F. Woods |
| Skipper : | H. Cudmore |
| Architecte : | A. Castro |
| Constructeur : | K. Bushe |
| Matériaux : | Kevlar/carbone |
| Année de construction : | 1983 |
| Longueur hors tout : | 12,06 m |
| Largeur au maître-bau : | 3,76 m |
| Tirant d'eau : | 2,16 m |
| Déplacement : | 5,717 t |
| Rating : | 30,1 pieds IOR |
| Voilerie : | McWilliams |
| Surface de voiles : | 78 m² |

# Lady Be

| Nom du bateau : | LADY BE |
|---|---|
| Nationalité à la date de la prise de vue : | France 1983 |
| Propriétaire : | Chantiers Bénéteau |
| Skipper : | P. Blake (charter) |
| Architecte : | G. Frers |
| Chantier : | Bénéteau |
| Matériaux : | Kevlar/carbone/mousse |
| Année de construction : | 1983 |
| Longueur hors tout : | 13,81 m |
| Longueur à la flottaison : | 11,64 m |
| Largeur au maître-bau : | 4,21 m |
| Tirant d'eau : | 2,50 m |
| Déplacement : | 9,225 t |
| Rating : | 35,4 pieds IOR |
| Voilerie : | North |

*Shockwave* était le nom d'un plan Frers à Neville Crichton, un bateau qui a causé sur son passage plus d'une onde de choc. D'abord en Australie où les officiels ne voulaient pas le sélectionner pour l'Admiral's Cup parce qu'il appartenait à un Néo-Zélandais et où il causa la surprise en gagnant cinq des neuf régates de sélection. C'est *Shockwave* qui, à quelques modifications près, devint le 456 de Bénéteau.

Le premier sorti du chantier, *Lady Be*, courut les sélections pour l'équipe française de l'Admiral's Cup de 1983 avec Éric Duchemin. Il manqua de peu la sélection, mais fut remarqué par Peter Blake qui cherchait un bateau à louer pour l'équipe néo-zélandaise pour courir aux côtés de *Shockwave*. Le hasard fait quelquefois étrangement les choses.

*Lady Be* n'avait pas grand-chose d'un bateau de série avec sa coque en sandwich de Kevlar, fibre de carbone et mousse et son intérieur complètement vide. Blake pensait qu'il pourrait bien se classer, surtout si Duchemin restait à bord. C'est ce qui se passa lors de la seconde régate de la Coupe courue dans le Solent par bonne brise où *Lady Be* et *Shockwave* se classèrent respectivement troisième et quatrième. Dans les autres courses, les petits airs ne permirent jamais aux gros ratings d'être aux avant-postes.

Sur la grand-voile, la bordure avant des renforts de Kevlar est en dents de scie pour mieux répartir les efforts et éviter la formation d'un pli le long de l'extrémité avant des lattes. C'était au départ une idée de John Oakeley qui avait baptisé ces voiles « Compensator ».

# *Panda*

| Nom du bateau : | PANDA |
|---|---|
| Nationalité à la date de la prise de vue : | Royaume-Uni 1985 |
| Propriétaire : | P. Whipp |
| Skipper : | P. Whipp |
| Architecte : | Ph. Briand |
| Chantier : | Green Marine |
| Matériaux : | Mousse/PVC/tissu de verre/ Kevlar/carbone/epoxy |
| Année de construction : | 1985 |
| Longueur hors tout : | 12 m |
| Largeur au maître-bau : | 3,46 m |
| Tirant d'eau : | 2,20 m |
| Déplacement : | 5,603 t |
| Rating : | 30,5 pieds IOR |
| Voileries : | North/Sobstad |
| Surface de voiles : | 100 m² |

On comprend que les équipiers de *Panda* n'aient pas été très souriants en prenant le départ du Fastnet de 1985 en plein coup de vent. Ils savaient qu'ils devaient s'attendre à un confort minimum et que le mauvais temps serait loin d'améliorer les choses.

Le propriétaire-skipper-navigateur Peter Whipp est un homme très dur pour lequel ce n'est pas en faisant des simagrées que l'on gagne des courses. Ses bateaux disposent de tout ce qui permet d'aller vite, mais l'intérieur y est austère à un point tel que même un Spartiate en serait dégoûté. Les équipiers savaient donc que

le réchaud n'était à bord que pour être conforme au règlement et qu'il ne serait pas allumé en mer. Que la quantité de nourriture embarquée était le strict minimum et qu'il n'y avait en fait qu'un endroit où ils auraient le droit de s'assoupir un peu, le liston au vent.

Ce n'est peut-être pas ce que tout le monde appelle de la course confortable, mais ce qui est sûr c'est que l'équipage n'était que sourires lorsque le bateau a coupé la ligne d'arrivée à Plymouth. Ils avaient gagné la course, la Coupe du Fastnet et ce qui faisait encore plus plaisir à Whipp, le Navigator's Trophy.

# Swankers

Chez Nautor, on a pour philosophie qu'un Swan est fait pour s'amuser, que le propriétaire choisisse de le faire en course ou en croisière ou même en faisant tantôt l'un tantôt l'autre. C'est cette sorte de raisonnement qui plut aux deux couples, Bill et Mandy Halls et Tony et Lesley Warren, lorsqu'ils décidèrent d'offrir un Swan 51 à leur société de charter, Cygnet Yacht Charter.

Et l'on voit sur cette photo que *Swankers* leur permet vraiment de se faire plaisir comme ils étaient bien décidés à le faire lorsqu'ils en prirent livraison au chantier en Finlande. En fait, ils goûtèrent immédiatement les plaisirs de la vitesse à la voile en dépassant tous les cargos qu'ils rencontraient dans le sud de la Baltique.

Le Swan 51 est un plan German Frers, le premier bateau qu'il ait dessiné pour Nautor et issu de *Blizzard*, l'un des membres de l'équipe britannique de l'Admiral's Cup de 1979. Premier sorti du moule, *Scoundrel* n'a pas tardé à montrer sa valeur. Lors des sélections pour l'Admiral's Cup de 1981, il a battu *Blizzard* dès la première régate.

Depuis, plus de trente-cinq Swan 51 ont été construits dans différentes versions, l'un des derniers ayant été spécialement réduit à 15,20 mètres de longueur pour permettre à Harry Harkimo de prendre part à la Course en solitaire BOC autour du monde dans la classe II. Son *Belmont Finland* n'eut à souffrir aucune des avaries qui handicapèrent de nombreux concurrents et il se classa toujours parmi les premiers de la petite classe. Le chantier de Pietarsaari avait spécialement préparé le bateau pour la course en ajoutant les cloisons de renfort demandées par le règlement.

| Nom du bateau : | SWANKERS |
|---|---|
| Nationalité à la date de la prise de vue : | Royaume-Uni 1983 |
| Propriétaire : | Cygnet Yacht Charters |
| Skipper : | W. Halls |
| Architecte : | G. Frers |
| Chantier : | Nautor |
| Matériau : | Polyester |
| Année de construction : | 1982 |
| Longueur hors tout : | 15,62 m |
| Longueur à la flottaison : | 12,92 m |
| Largeur au maître-bau : | 4,49 m |
| Tirant d'eau : | 2,70 m |
| Déplacement : | 19 t |
| Rating : | 39,1 pieds IOR |
| Voilerie : | Hood |
| Surface de voiles : | 395,1 m² |

# L'Esprit d'Équipe

| Nom du bateau : | L'ESPRIT D'ÉQUIPE |
|---|---|
| Nationalité à la date de la prise de vue : | France 1985 |
| Propriétaire : | ACPN |
| Skipper : | L. Péan |
| Architecte : | Ph. Briand |
| Chantier : | Dufour |
| Matériau : | Aluminium |
| Année de construction : | 1981 |
| Longueur hors tout : | 17,56 m |
| Largeur au maître-bau : | 4,84 m |
| Déplacement : | 15,241 t |
| Rating : | 46,5 pieds IOR |
| Voilerie : | Sobstad |
| Surface de voiles : | 200 m² |

Il ne peut y avoir de meilleur exemple d'un équipage prenant un bateau relativement quelconque et le menant à la victoire par le seul effet de sa cohésion. Il aurait été difficile de trouver un nom plus approprié que *L'Esprit d'Équipe* pour le vainqueur de la Whitbread de 1985. Ce que Lionel Péan et ses sept, parfois huit, équipiers ont réussi est tout simplement extraordinaire.

Ce n'est pas comme s'ils avaient disposé d'un bateau neuf. *L'Esprit d'Équipe* était le vieux *33 Export* qui avait couru la Whitbread de 1981, cassant son mât dans la seconde étape et faisant route sous gréement de fortune vers les îles Kerguélen. Comme un nouveau mât n'avait pu y être envoyé par avion, le bateau avait été ramené en France par cargo.

Après des modifications importantes, Péan avait monté une quille plus lourde et était parti voir comment se comportait le bateau en courant la Route de la Découverte d'Espagne aux Antilles, puis le SORC. Cela lui permit de se rendre compte des modifications qui restaient à apporter avant la Course autour du monde. Celles-ci effectuées, il prit le départ du Fastnet où il battit tous les autres concurrents de la Whitbread, devenant peu à peu le favori des bookmakers anglais.

*L'Esprit d'Équipe* gagna la première étape, mais perdit une journée et ne termina la suivante qu'en deuxième position derrière *Philips Innovator*. Pendant l'escale d'Auckland, le mât fut renforcé pour absorber les efforts à la compression que le hale-bas imposait au vit de mulet. Malgré cela, l'espar se fissura sous le pont pendant la troisième étape. C'est alors que l'esprit d'équipe joua à plein. Les voiles ayant été amenées, l'avarie fut réparée avec les moyens du bord, un morceau de profil, des trésillons et beaucoup d'ingéniosité. *L'Esprit d'Équipe* gagnera l'étape ainsi que la suivante, s'assurant ainsi la victoire en temps compensé et le Trophée Whitbread.

# Locura

Peu après que *Tenacious* eut gagné la Coupe du Fastnet de 1979, Ted Turner avait dit qu'il abandonnait la course au large « pour s'occuper de choses sérieuses. — Je ne peux pas passer ma vie à m'amuser ». S'engageant ainsi fermement, on sentait bien qu'il ne reviendrait pas facilement sur sa parole.

C'est pourquoi on peut penser que *Locura* devait avoir quelque chose de très particulier pour que son propriétaire George de Guardiola parvienne à persuader Turner d'embarquer à son bord pour l'Admiral's Cup de 1983. Le roi de la repartie trouva vite la parade : « Abandonner ? C'est vrai que j'ai dit que j'abandonnais la course, mais je n'avais pas dit que c'était pour toujours ! » L'épisode sérieux était terminé, Turner était résolu à s'amuser à nouveau.

*Locura* a été dessiné et construit par Mark Soverel en sandwich Klegecell et tissu de verre qualité E. Pendant le SORC dont en 1983 les épreuves avaient servi de sélections pour l'Admiral's Cup, il avait été vainqueur de la classe D. Avec 13 mètres de long pour 33,7 pieds de rating, il avait sans doute besoin de davantage de vent que ce qui souffla cet été-là à Cowes. Soverel était à la barre, relayé quelquefois par Turner pendant les courses au large, tandis que celui-ci tenait le rôle de tacticien dans les régates *inshore*. *Locura* et son compagnon d'équipe *Scarlett O'Hara* se débrouillèrent fort bien dans la seconde course où ils terminèrent premier et second, permettant aux États-Unis de se classer première équipe de la journée. Le lendemain le vent tomba et ce fut un grand jour pour les petits ratings au détriment des Américains.

Cela ne calma pas Turner. Après un Fastnet par brise relativement faible, il rappela à tout le monde que s'il y avait toujours eu aussi peu de vent, les Anglais parleraient sans doute espagnol aujourd'hui. En fait, il avait déjà fait allusion de cette façon à la déroute de l'Invincible Armada à la fin de la même course quatre ans plus tôt.

| Nom du bateau : | LOCURA |
|---|---|
| Nationalité à la date de la prise de vue : | États-Unis 1983 |
| Propriétaire : | G. de Guardiola |
| Skipper : | G. de Guardiola |
| Architecte : | M. Soverel |
| Constructeur : | M. Soverel |
| Matériaux : | Tissu de verre type E/Klegecell |
| Année de construction : | 1983 |
| Longueur hors tout : | 13 m |
| Largeur au maître-bau : | 4,01 m |
| Tirant d'eau : | 2,39 m |
| Déplacement : | 8,01 t |
| Rating : | 33,7 pieds IOR |
| Voilerie : | Sobstad |

# *Midnight Sun*

| Nom du bateau : | MIDNIGHT SUN |
| --- | --- |
| Nationalité à la date de la prise de vue : | Suède 1979 |
| Propriétaire : | J. Pehrsson |
| Architecte : | R. Holland |
| Chantier : | Huisman |
| Matériau : | Aluminium |
| Année de construction : | 1979 |
| Longueur hors tout : | 15,30 m |
| Largeur au maître-bau : | 4,37 m |
| Tirant d'eau : | 2,50 m |
| Déplacement : | 14,129 t |
| Rating : | 39,3 pieds IOR |
| Voilerie : | North |

Il semble difficile d'obtenir une image plus haute en couleur que celle de *Midnight Sun* au portant pendant la seule journée de beau temps de l'Admiral's Cup de 1979. Cette année-là, le bateau était flambant neuf, sortant pratiquement du chantier de Wolter Huisman en Hollande, et donc construit en aluminium.

C'est peut-être pour cette raison que le bateau de Jan Pehrsson n'a pas fait grand-chose cette saison-là. Sur un bateau de cette taille il est pratiquement impossible de parvenir en si peu de temps à ce que tout marche comme sur des roulettes. Par moments, l'équipage a réussi à donner l'impression que le bateau promettait beaucoup comme par exemple dans la Channel Race, mais les petits ratings sont rapidement revenus sur lui. L'année suivante cependant, il était déjà assez rapide pour gagner le tour de l'île de Gotland contre plus d'adversaires qu'il n'en trouverait sans doute jamais ailleurs, se classant également premier des épreuves *inshore* de la Sardinia Cup.

En 1981, *Midnight Sun* partit pour le SORC où l'on s'attendait à ce qu'il se classe bien. Mais il eut la malchance d'être attaqué par des pirates en mer des Caraïbes. Tout l'équipage s'en sortit sain et sauf, mais décida néanmoins comme un seul homme de débarquer. On les comprend.

Par contre, la même année Jean-Louis Fabry, qui venait de mettre à la retraite *Révolution* avec lequel il avait couru quatre fois l'Admiral's Cup, loua le bateau qui venait de gagner une nouvelle fois le tour de Gotland pour participer à l'Admiral's Cup. Quand il y avait du vent *Midnight Sun* marchait bien, ce qui lui permit de se classer quatrième de la seconde régate inshore et de gagner la Channel Race que d'ailleurs Fabry a l'air de considérer comme son bien propre à en juger par le nombre de fois où il l'a remportée.

*Midnight Sun* se couvrit également de gloire dans la troisième régate *inshore* du Champagne Mumm Trophy. Se classant septième, il était de loin le meilleur des gros bateaux. Mais lorsque le vent tomba complètement dans le Fastnet, l'éclat de *Midnight Sun* disparut avec lui.

# Marionette IX

| Nom du bateau : | MARIONETTE IX |
|---|---|
| Nationalité à la date de la prise de vue : | Royaume-Uni 1986 |
| Propriétaire : | C. Dunning |
| Skipper : | C. Dunning |
| Architectes : | R. Humphreys/E. Dubois |
| Constructeur : | K. Bushe |
| Matériaux : | Kevlar/carbone/mousse |
| Année de construction : | 1985 |
| Longueur hors tout : | 13,41 m |
| Longueur à la flottaison : | 10,36 m |
| Largeur au maître-bau : | 4,27 m |
| Tirant d'eau : | 2,44 m |
| Déplacement : | 7,938 t |
| Rating : | 34 pieds IOR |
| Voileries : | North/Sobstad |
| Surface de voiles : | 97,55 m² |

Ce n'est pas parce que les mâts des bateaux de course au large s'allongent chaque jour davantage que les architectes sont disposés à les rendre un peu plus dépouillés. Bien au contraire. Les étages de barres de flèche se multiplient avec la profusion de haubannage monotoron qui l'accompagne nécessairement à tel point qu'une mouette passant par là aurait du mal à en sortir indemne.

De plus, longitudinalement le mât est étayé par de nombreux haubans mobiles. Et c'est là que les choses peuvent mal se passer dans la mesure où les efforts doivent rester équilibrés. L'International Offshore Rule exige que l'étai avant soit fixe tandis que le pataras et les bastaques peuvent être mobiles. Et quand on envoie un spi, d'autres efforts entrent en jeu : la poussée du tangon contre le mât, la tension de l'étai de trinquette, s'il y en a un, auxquels s'ajoutent les efforts de la grand-voile et de la bôme.

Par cette journée ventée de la Semaine de Cowes de 1986, *Marionette IX* avait été le premier à envoyer son spi et, selon son équipage, « il allait parer la bouée sans aucun problème ». Ils étaient les meilleurs et montraient la route... jusqu'au moment où l'extrémité de la bôme est grimpée d'un seul coup vers le ciel. Le hale-bas de bôme hydraulique venait de lâcher. Comme la bôme n'exerçait plus de pression sur le mât, la poussée du tangon fit s'inverser la courbe du mât. La seule façon de s'en sortir était de larguer le point d'amure du spi.

L'équipier d'avant grimpa à toute vitesse sur le balcon et il avait la main sur le mousqueton lorsque le mât cassa. C'était un mercredi et le bateau devait être embarqué sur un cargo six jours plus tard pour aller courir la Sardinia Cup. Proctor parvint à réaliser un nouveau mât à temps et l'histoire se termina bien. Chris Dunning et *Marionette IX* purent mener l'équipe britannique vers la première victoire du Royaume-Uni dans cet équivalent méditerranéen de l'Admiral's Cup. Et pourtant, ce mercredi-là, mât, bôme, voiles et gréement dans l'eau laissaient très mal augurer de la victoire.

# Mistress Quickly

| Nom du bateau : | MISTRESS QUICKLY |
|---|---|
| Nationalité à la date de la prise de vue : | Bermudes 1980 |
| Propriétaire : | W. Whitehouse-Vaux |
| Architecte : | Bob Miller |
| Chantier : | Halvorsen/Morson & Gowland |
| Matériau : | Aluminium |
| Année de construction : | 1974 |
| Longueur hors tout : | 22,07 m |
| Longueur à la flottaison : | 20,27 m |
| Largeur au maître-bau : | 4,43 m |
| Tirant d'eau : | 3,23 m |
| Déplacement : | 29,443 t |
| Rating : | 67,1 pieds IOR |
| Voilerie : | Hood |
| Surface de voiles : | 241,5 m² |

En 1979, *Mistress Quickly* avait gagné la première course Fort Lauderdale-Key West dont le prix était un spi de maître-voilier. Mais aucun des membres du comité de course n'avait prévu que la course serait remportée par un bateau de 22 mètres... De plus, le vainqueur avait le droit de sélectionner, entre autres, la voilerie. Bill Whitehouse-Vaux choisit Hood et commença à discuter de la coupe avec eux. Malheureusement, une fois le spi terminé la couleur déteignit et il fallut en refaire un autre ! L'année suivante, seuls les bateaux de moins de trois quarts de tonne de rating avaient droit à un spi !

C'est Ben Lexcen (qui s'appelait encore Bob Miller) qui en 1974 avait dessiné le bateau qui s'appelait à l'origine *Ballyhoo* pour Jack Rooklyn. Celui-ci le fera participer à de nombreuses courses, mais ce n'est qu'une fois vendu à Bill Whitehouse-Vaux et sous son nouveau nom qu'il commencera à devenir célèbre, presque même légendaire.

Construit en aluminium par Halvorsen, Morson et Gowland juste après qu'ils eurent terminé *Southern Cross*, le premier 12 M JI en aluminium, *Ballyhoo* se distingua en Australie avant de partir pour l'Europe où il gagna un Fastnet de petits airs en 1977.

C'est après cette saison qu'il fut vendu. Courant des deux côtés de l'Atlantique, il était toujours parmi les favoris pour la victoire en temps compensé. *Mistress Quickly* détient encore le record en temps réel de la Middle Sea Race et du Tour de l'île de Wight. La liste de ses anciens équipiers a des allures de *Who's Who* du yachting et la plupart d'entre eux se souviennent avec émotion de leur passage à bord. Actuellement il est utilisé en charter en Méditerranée en été et aux Antilles en hiver avec entre-temps quelques régates pour le plaisir.

# Outsider

*Outsider* est l'un des rares bateaux qui, après avoir été sélectionné deux fois pour l'Admiral's Cup, l'ait gagnée lors de sa seconde participation. Baptisé initialement *Dusselboot*, il fut l'un des premiers bateaux dessinés par l'équipe d'architectes formée par Friedrich Judel et Rolf Vrolijk, puis construit en alliage d'aluminium par le chantier Yachthafenwerft.

D'un rating minimum (30 pieds IOR), il se distingua rapidement en Grande-Bretagne en gagnant le Tour de l'île de Wight en 1981. Les autres bateaux de l'équipe allemande, *Container* et *Pinta*, quant à eux, terminèrent cinquième et septième montrant ainsi pour la première fois la force de l'équipe. Et si *Dusselboot* gagna c'est parce que sur tout le parcours des Needles à Sainte-Catherine-Point il avait réussi à se laisser aspirer dans le sillage du Swan 51 *Scoundrel*. Cette année-là, l'équipe allemande se classa troisième de l'Admiral's Cup et elle aurait même pu se classer seconde si *Dusselboot* n'avait pas cassé son mât dans la Channel Race.

Tilmar Hansen changea le nom du bateau lorsqu'il l'acheta en 1982, puis le modifia de fond en comble avant de réussir à le sélectionner à nouveau pour Cowes. Cette fois, les trois bateaux de l'équipe allemande dominèrent l'épreuve d'un bout à l'autre. En effet, il n'y avait que 8 points d'écart entre le premier et le dernier de l'équipe avec une avance de 167 points sur les seconds, l'équipe italienne.

Ici, nous voyons *Outsider* dans Christchurch Bay par une de ces journées de ciel noir zébré d'éclairs où le vent change continuellement en force et en direction. Quelques instants plus tard, il sera l'un des nombreux bateaux à se faire prendre avec trop de toile dehors et les équipiers devront se battre pour amener la voile d'avant et en renvoyer une plus petite.

| Nom du bateau : | OUTSIDER |
|---|---|
| Nationalité à la date de la prise de vue : | R.F.A. 1983 |
| Propriétaire : | T. Hansen |
| Skipper : | T. Reff |
| Architectes : | Judel/Vrolijk |
| Chantier : | Yachthafenwerft |
| Matériau : | Aluminium |
| Année de construction : | 1981 |
| Longueur hors tout : | 11,90 m |
| Largeur au maître-bau : | 3,83 m |
| Tirant d'eau : | 2,30 m |
| Déplacement : | 5,769 t |
| Rating : | 30 pieds IOR |
| Voilerie : | North |

# *Paragon*

| Nom du bateau : | PARAGON |
|---|---|
| Nationalité à la date de la prise de vue : | Royaume-Uni 1985 |
| Propriétaire : | M. Whipp |
| Skipper : | M. Whipp |
| Architecte : | A. Thompson |
| Chantier : | Thompson/Feloy |
| Matériaux : | Kevlar/carbone/epoxy |
| Année de construction : | 1985 |
| Longueur hors tout : | 18,29 m |
| Longueur à la flottaison : | 17,98 m |
| Largeur : | 14,33 m |
| Tirant d'eau : | 3,35 m/1,07 m |
| Déplacement : | 4,082 t |
| Rating : | Multicoque de Formule II |
| Voilerie : | Hood |
| Surface de voiles : | 232,25 m² |

La forme jaune de *Paragon* coupe l'eau comme un couteau à trois lames. Il s'agit peut-être là du bateau de 18 mètres le plus rapide qui ait jamais existé. Il a été dessiné et construit par Adrian Thompson pour Michael Whipp en soignant tout particulièrement les qualités aérodynamiques.

Thompson a construit *Paragon* en Kevlar avec renforts de fibre de carbone, tissu de verre de qualité R et résine époxy comme matrice. Son poids avec tout l'équipement dépasse juste les 4,5 tonnes. Les flotteurs ont une flottabilité de 200 pour cent et ses 14,33 mètres de large lui donnent une impressionnante stabilité. Mais c'est aussi une source de problèmes, car les efforts auxquels les poutres sont soumises sont considérables, surtout à l'endroit où elles sont reliées aux flotteurs. C'est précisément en ce point que le bateau a cassé par deux fois, l'obligeant à abandonner en 1985 aussi bien le Tour des îles Britanniques, alors qu'il était en tête de l'étape Lerwick-Lowestoft, que le Tour de l'Europe.

Ce n'est que dans les courses entre trois bouées que le bateau a été capable de démontrer ses capacités, surtout à La Trinité lors du Trophée des Multicoques de 1986. Parti en même temps que les bateaux de 26 mètres, il leur a pratiquement tenu la dragée haute tout au long du parcours. Lors de la première course, arrivé avec neuf minutes de retard sur la ligne, il a réussi à les rattraper tous sauf deux et dans les trois courses suivantes il a battu *Roger & Gallet*, *Charente-Maritime* et *Royale*. C'est principalement grâce à ses virements de bord qu'il a pu réaliser cette performance. En effet, il ne faut à *Paragon* qu'environ vingt-cinq secondes pour virer alors que les gros catamarans ont besoin d'une bonne minute et demie avant d'être en route sur l'autre bord, la légèreté du trimaran lui permettant de mieux accélérer.

Au près, *Paragon* atteint 16 nœuds avec un angle de 85 degrés entre les deux bords, ce qui est bien meilleur que tous les catamarans et même que les trimarans de taille analogue. Ces excellentes performances au près sont dues principalement au gréement constitué d'un mât tournant en alliage de Proctor.

Lors de la course Brighton-Londres du Challenge des Multicoques Silk Cut de 1986, *Paragon* a été heurté par un caboteur. Malgré de sérieuses avaries, il est parvenu à rallier un port tandis que le caboteur poursuivait sa route sans s'arrêter. A bord, pour la course, se trouvait Rodney Pattison qui appela immédiatement son ami le voilier John McWilliams, propriétaire d'un avion de tourisme. Celui-ci leur permit de survoler tous les ports de la côte est d'Angleterre à la recherche d'un caboteur du même vert que les traces de peinture laissées sur la coque de *Paragon*. A l'heure où j'écris ces lignes, il paraît qu'un navire ayant des traces de peinture jaune sur l'étrave commence à avoir quelques «ennuis»...

# Les 12 Mètres

Les 12 Mètres sont absolument fascinants. Quel que soit l'angle sous lequel on les regarde, ils sont tout simplement superbes. Vus d'en haut, les onze équipiers s'agitent dans une activité incessante, car onze hommes c'est peu, très peu, pour de tels monstres. Ceux qui disent que la course à la voile n'est pas vraiment un sport devraient tirer quelques bords sur un 12 M JI dans 25 nœuds de brise. Pensez donc quelques instants à la quantité de gestes à effectuer à une marque sous le vent surpeuplée où il faut en quelques secondes envoyer le génois et affaler le spi pendant qu'à l'arrière le tacticien et le navigateur doivent prévoir la stratégie pour le bord à venir et diriger le bateau dans la bonne direction.

Un an avant la Coupe de l'America de 1987, le Championnat du monde des 12 Mètres couru au large de Fremantle a donné aux amateurs plus qu'un avant-goût de la Coupe. Spectacle inoubliable, il a aussi permis aux organisateurs d'essayer leurs équipements et leurs installations en conditions réelles d'utilisation et aux syndicats de se faire une idée de leurs positions respectives.

Pas un seul de ceux qui étaient présents à Fremantle n'oubliera le spectacle majestueux de quatorze 12 M JI prenant le départ ou se retrouvant aux bouées. Jamais encore autant de 12 Mètres modernes n'avaient couru ensemble et l'on sentait que tous les équipiers y prenaient un énorme plaisir. En effet, c'était pour eux l'occasion de sortir de la routine d'un entraînement intensif dans la mesure où les régates du championnat n'avaient rien à voir avec la technique du match-racing qui était leur lot quotidien. Rares étaient parmi eux ceux qui avaient eu l'occasion de courir des régates normales sur d'aussi gros bateaux et cela permit d'ailleurs aux skippers de découvrir pas mal de points faibles.

Le Championnat montra aussi de manière assez étonnante que le defender *Australia III* n'était pas dans le coup dès que le vent forcissait un peu et que le syndicat d'Alan Bond devrait mettre au point un bateau plus rapide s'il voulait avoir la moindre chance de défendre la Coupe qu'avait remportée *Australia II*. Et l'on imagine ce qu'ont pu ressentir les gens du Taskforce Syndicate des *Kookaburra* un an plus tard quand ils se sont rendu compte qu'ils avaient alors raté l'occasion de constater que leurs bateaux non plus n'étaient pas assez rapides. Mais il y aura aussi toujours quelqu'un pour dire que si Dennis Conner avait couru le Championnat de 1986 il l'aurait gagné si facilement qu'il aurait complètement démoralisé tous les autres challengers.

# Pocket Battleship

Cela aurait pu être le premier des bateaux IOR britanniques « sponsorisés » sous le nom de *Vodafone Venturer*, mais le RORC refusa d'assouplir le règlement pour l'Admiral's Cup de 1985 et le plan Dubois-Humphreys de 13,60 mètres s'appela finalement *Pocket Battleship*. Son propriétaire, Martin Gibson, considérait que les gros ratings avaient leur place dans l'Admiral's Cup. Cependant la première saison du bateau ne fut pas exempte de problèmes.

Ils commencèrent dès avant qu'elle ne démarre alors que l'équipage s'entraînait dans l'ouest du Solent. Par vent frais, juste avant un empannage le bateau partit brusquement au lof, se couchant complètement sur le côté, tête de mât dans l'eau. Il resta ainsi pendant plusieurs minutes jusqu'à ce qu'un hauban lâche et que le mât casse. Le bateau se redressa immédiatement, mais il y avait une bonne semaine de travail à faire avant que l'entraînement ne puisse reprendre le week-end suivant.

*Pocket Battleship* est un bateau très puissant particulièrement à l'aise par vent fort, mais qui a un peu tendance à « coller » dans les petits airs. En 1985, il ne fut pas sélectionné pour l'équipe anglaise et fut loué à Singapour qui se classa sixième au classement général, le bateau se comportant mieux que la moyenne alors que par ailleurs la suprématie des petits bateaux était totale.

En 1986, la coque subit quelques modifications et reçut une nouvelle quille à bulbe pour lui donner une plus grande stabilité pour un poids moindre. *Pocket Battleship* fut ensuite sélectionné pour la Sardinia Cup comme membre de l'équipe qui, avec *Full Pelt* et *Marionette IX*, ramena pour la première fois cette coupe en Grande-Bretagne.

| Nom du bateau : POCKET BATTLESHIP | |
|---|---|
| Nationalité à la date de la prise de vue : | Royaume-Uni 1985 |
| Propriétaire : | M. Gibson |
| Skipper : | M. Gibson |
| Architectes : | R. Humphreys/E. Dubois |
| Constructeur : | N. Hutton |
| Matériaux : | Kevlar/carbone/mousse |
| Année de construction : | 1985 |
| Longueur hors tout : | 13,63 m |
| Longueur à la flottaison : | 10,82 m |
| Largeur au maître-bau : | 4,03 m |
| Tirant d'eau : | 2,56 m |
| Déplacement : | 8,547 t |
| Rating : | 35,3 pieds IOR |
| Voileries : | North/Sobstad |
| Surface de voiles : | 107,64 m² |

# Police Car

| Nom du bateau : | POLICE CAR |
|---|---|
| Nationalité à la date de la prise de vue : | Australie 1979 |
| Propriétaire : | P. Cantwell |
| Architecte : | E. Dubois |
| Chantier : | S. Ward |
| Matériau : | Aluminium |
| Année de construction : | 1979 |
| Longueur hors tout : | 12,95 m |
| Longueur à la flottaison : | 9,91 m |
| Largeur au maître-bau : | 3,68 m |
| Tirant d'eau : | 2,17 m |
| Rating : | 32 pieds IOR |
| Voilerie : | Hood |
| Surface de voiles : | 81,75 m² |

Peter Cantwell avait demandé à Ed Dubois de lui dessiner un *two tonner* de brise, soit 32 pieds IOR, et *Police Car* correspondait vraiment à ce qu'il souhaitait. Il gagna les sélections pour l'équipe australienne de l'Admiral's Cup à Melbourne où le vent lui permit de se montrer largement à son avantage, surtout au portant par brise de plus 20 nœuds. Malheureusement pour lui, en 1979 la Two Ton Cup se courut à Poole par tout petits airs.

Par contre un mois plus tard l'Admiral's Cup n'avait jamais été disputée par autant de brise. Avec son gréement fractionné, *Police Car* était vraiment dans son élément dans ce Solent où les bords de portant contre le courant lui permirent de donner toute sa mesure. Il se classa premier de la première équipe sans que quiconque en soit surpris. Seul *Éclipse* parvint à le surclasser au championnat par points. Dans le fameux Fastnet, *Police Car* connut des moments exaltants quoique humides sous trinquette tangonnée, grand-voile au bas ris et tourmentin. Ensuite il renvoya de la toile lorsque le vent tomba un peu et termina quatrième des admiralers.

Le plan Dubois avait beaucoup impressionné Jim Hardy qui courait le Fastnet sur *Impetuous* et il l'acheta pour le faire courir principalement en Australie. En 1980 et 1982, il fut vainqueur de sa classe dans la course Sydney-Hobart et courut aussi la Clipper Cup à Hawaï où il démâta, cassant son mât au niveau du vit de mulet. Heureusement, il y avait à bord un manchon. Lorsqu'il fut clair qu'il serait possible de réparer pour la course suivante, Sir James (il avait été fait chevalier entre-temps) dit qu'il allait falloir peindre le manchon. « De quelle couleur ? » lui demanda-t-on. « Oh ! je crois qu'en rose ce ne serait pas mal », répondit-il. Le lendemain, le manchon resplendissait d'un superbe rose shocking, tandis que, bien sûr, le reste du mât était toujours bleu clair !

# *Pro-Motion*

Les propriétaires commencent à en avoir assez des aménagements spartiates. D'accord, il faut faire la chasse au poids inutile et il y a peu d'espoir pour qu'un bateau standard remporte jamais la moindre coupe dans les courses du Grand Prix, mais ils espèrent que les constructeurs penseront un jour à eux.

C'est Bénéteau qui, le premier, a senti le vent venir en élargissant sa gamme de bateaux de course-croisière, son expérience des séries limitées de bateaux de course pure, en particulier des *one tonners*, lui permettant de songer à des bateaux plus grands en visant le haut des ratings de l'Admiral's Cup.

*Pro-Motion* a été le premier des deux Bénéteau 51 version course à sortir du chantier, le second étant *Carat* à Wictor Forss. Lorsqu'il s'est présenté à la Semaine de Cowes de 1986, il a surpris tout le monde par la pureté des lignes de sa coque bleu marine et l'impression de vitesse qu'il donnait. Son propriétaire Bert Dolk avait encore peine à y croire, il possédait enfin une bête de course dont les aménagements ne pouvaient plus être qualifiés de rudimentaires. En fait, le plan de pont strictement course donne une idée fausse de ce que l'on trouve à l'intérieur : sur l'arrière une cabine de propriétaire avec cabinet de toilette équipé d'une douche et dans le reste du bateau une attention toute particulière au confort des équipiers. On se croirait revenu dans les années 60 à l'époque où les coureurs vivaient encore à bord.

Il faut laisser à *Pro-Motion* et à ses sister-ships le temps de faire leurs preuves dans les courses de haut niveau, mais ce qui est certain c'est que leur pedigree est exceptionnel. Suite logique des plans de *Fujimo*, *Nitissima* et *Morning Star* de German Frers, ils ne devraient pas éprouver beaucoup de difficultés à se couvrir eux-mêmes de gloire.

| Nom du bateau : | PRO-MOTION |
|---|---|
| Nationalité à la date de la prise de vue : | Pays-Bas 1986 |
| Propriétaire : | B. Dolk |
| Skipper : | B. Dolk |
| Architecte : | G. Frers |
| Chantier : | Bénéteau |
| Matériaux : | Carbone/Kevlar/Divinycell |
| Année de construction : | 1986 |
| Longueur hors tout : | 15,20 m |
| Longueur à la flottaison : | 12,53 m |
| Largeur au maître-bau : | 4,51 m |
| Tirant d'eau : | 2,75 m |
| Déplacement : | 12,5 t |
| Rating : | 39,6 pieds IOR |
| Voilerie : | North |

# *Sanction*

| Nom du bateau : | SANCTION |
|---|---|
| Nationalité à la date de la prise de vue : | Royaume-Uni 1983 |
| Propriétaire : | J. Morris |
| Skipper : | J. Morris |
| Architecte : | S. Jones |
| Chantier : | Woof Boats |
| Matériaux : | Tissu de verre type S/ fibre de carbone/mousse |
| Année de construction : | 1982 |
| Longueur hors tout : | 14,38 m |
| Longueur à la flottaison : | 11,58 m |
| Largeur au maître-bau : | 4,21 m |
| Tirant d'eau : | 2,63 m |
| Déplacement : | 10,017 t |
| Rating : | 35,2 pieds IOR |
| Voileries : | Hood/Sobstad |
| Surface de voiles : | 114,5 m² |

« Du pain frotté d'ail », voilà ce que Bill Green se souvient avoir mangé à bord de *Sanction* à la fin de la grande course de la Sardinia Cup de 1982 qui fut épouvantablement longue cette année-là et se révélera catastrophique pour ce plan de 14,40 mètres de Stephen Jones appartenant à l'équipe suisse.

Tout alla mal dès le départ. En se rendant sur la ligne, le feu avait pris dans le tableau électrique et il fallut parcourir les 360 milles de course sans aucun instrument. Puis, le vent ayant décidé que sa présence n'était pas nécessaire, l'équipage se trouva à court de vivres et de gaz, n'ayant plus pour apaiser sa faim que du pain rassis et quelques gousses d'ail.

En fait, la course était bien dans la ligne de la carrière du bateau. Terminé en retard par le chantier, il sera ensuite modifié à plusieurs reprises : addition d'une cloison de renfort pour absorber les efforts du gréement et de la quille et changement de celle-ci. Avant de prendre sa retraite, *Sanction* terminera pourtant premier des entraînements d'hiver de Lymington dans les mains de Chris Law.

# White Crusader

Le moins que l'on puisse dire est que le défi britannique pour la Coupe de l'America de 1987 et la préparation de *White Crusader* ont eu constamment un bon mois de retard. En outre, ce n'était même pas le bateau que le Royal Thames Syndicate avait initialement prévu d'utiliser. Le plan radical de David Hollom n'ayant pu être mis au point faute de temps, on s'est rabattu sur le dessin classique de Ian Howlett.

*White Crusader* était donné favori pour les demi-finales des sélections des challengers. Il fut méticuleusement préparé pour le troisième round-robin avec change-ment de l'étrave envoyée par avion d'Angleterre, léger déplacement de la quille et changement de la forme des ailettes, déplacement du safran vers l'arrière et modification de la voûte, ce qui améliora nettement la vitesse. Mais comme *White Crusader* avait auparavant perdu des courses qu'il aurait dû gagner, ces améliorations ne suffirent pas à lui permettre d'accéder à la demi-finale.

On peut se consoler en se disant que le bateau a permis aux Britanniques de rester à la pointe de la technologie de la Coupe et, sait-on jamais, la prochaine fois...

| Nom du bateau : | WHITE CRUSADER |
| --- | --- |
| Nationalité à la date de la prise de vue : | Royaume-Uni 1986 |
| Propriétaire : | British America's Cup Challenges PLC |
| Skipper : | H. Cudmore |
| Architecte : | I. Howlett |
| Chantier : | Cougar Marine |
| Matériau : | Aluminium |
| Année de construction : | 1986 |
| Longueur hors tout : | 19,90 m |
| Largeur au maître-bau : | 3,80 m |
| Tirant d'eau : | 2,70 m |
| Rating : | 12 M JI |
| Voilerie : | North |

# Stars & Stripes

| Nom du bateau : | STARS & STRIPES |
|---|---|
| Nationalité à la date de la prise de vue : | États-Unis 1986 |
| Propriétaire : | Sail America Foundation |
| Skipper : | D. Conner |
| Architectes : | B. Chance/B. Nelson/D. Pedrick |
| Chantiers : | R. Derecktor Inc./ Gereghty Marine Inc. |
| Matériau : | Aluminium |
| Année de construction : | 1986 |
| Longueur hors tout : | 20,50 m |
| Longueur à la flottaison : | 14,50 m |
| Largeur au maître-bau : | 3,80 m |
| Tirant d'eau : | 2,80 m |
| Déplacement : | 30 t |
| Rating : | 12 M JI |
| Voileries : | Sobstad/North/Sail America |
| Surface de voiles : | 168 m² |

Il n'y a pas de motivation plus forte que l'esprit de revanche et celui-ci était fermement ancré chez Dennis Conner quand il mit en route son programme de trois ans pour ramener la Coupe de l'America sur ses rivages natals. C'est parce qu'il avait fait l'erreur de sous-estimer la technologie des Australiens qu'il avait perdu la Coupe, ce 26 septembre 1983 fatidique. Le moins que l'on puisse dire est que la défaite lui était restée sur le cœur. Conner s'était donc transformé en « Big Bad Dennis », le vilain ours californien à la tête endolorie, un méchant qui ne ferait pas de quartier.

Ayant pris bonne note de l'échec technologique de 1983, ce ne furent pas moins de trois architectes qui furent conviés à coordonner leurs efforts sous la direction de John Marshall qui demanda également l'assistance des chercheurs des plus grandes entreprises américaines, y compris Boeing et Ford et de l'agence aérospatiale, la NASA. Et malgré tout cela, on entendit Conner marmonner qu'ils n'avaient fait que gratter la surface de la technologie moderne pour produire le 12 M JI le plus rapide du monde.

Lorsque *Stars & Stripes* perdit quelques régates du second round-robin des éliminatoires des challengers, nombreux furent ceux qui ne donnèrent pas cher de ses chances. Conner, lui, admit plus tard qu'il avait fait de « l'intox ». « Nous n'avons pas montré toutes nos cartes dès le départ », dira-t-il après avoir gagné la Coupe. Il était encore au stade des essais, mais l'on se rendit vite compte que les choses prenaient une tournure différente lorsque *Stars & Stripes* courut contre *USA* lors de la demi-finale et que en quatre régates Conner se débarrassa de son rival numéro un, Tom Blackaller. Seule une légère avarie d'équipement l'empêcha de répéter cette performance contre les Néo-Zélandais lors de la finale. Il gagna donc la Coupe Louis Vuitton par quatre victoires à une.

Après avoir passé deux jours à s'entraîner contre *Kookaburra III*, les Néo-Zélandais débarquèrent en disant à qui voulait l'entendre de se préparer pour San Diego. Mais même eux auraient eu du mal à prévoir la facilité avec laquelle *Stars & Stripes* allait récupérer la Coupe de l'America. Bien que le skipper de *Kookaburra III*, Iain Murray, ait prétendu que la différence ne tenait qu'à deux dixièmes de nœud au près, celle-ci était plus que suffisante pour qu'il reçoive une bonne raclée.

# Révolution

Il n'y aura sans doute jamais aucun bateau comparable à *Révolution*, c'est-à-dire capable de courir quatre Admiral's Cups en restant parmi les meilleurs jusqu'à la dernière. C'était un bateau tellement différent des autres que lorsqu'il le vit pour la première fois Dick Carter, le grand maître des architectes de course au large d'alors, ne put s'empêcher de remarquer : « Ça y est, le pop'art a fait son entrée dans la voile. »

Avec sa grosse coque rouge et son énorme tableau arrière, c'était vraiment le vilain petit canard au milieu des cygnes. Jean-Louis Fabry avait donné carte blanche au Groupe Finot pour lui dessiner un bateau rapide, mais l'on peut supposer que même lui a dû pâlir quand il a vu ce qu'ils lui proposaient : un casse-cou à déplacement léger capable au portant de laisser sur place des bateaux plus grands que lui et au près de marcher plus vite que n'importe quel bateau de sa taille. En fait, ce n'était rien de plus qu'un dériveur avec un couvercle et des aménagements très spartiates à l'intérieur.

Construit par Wolter Huisman en alliage d'aluminium, *Révolution* fut mis à l'eau le 29 décembre 1972 et dès l'année suivante se classa premier admiraler de la Channel Race. C'était le début d'une longue série de victoires. Relativement absent des palmarès les deux années suivantes, il réapparaîtra en force dès 1976 pour prendre d'assaut les trophées du RORC. Avec quatre victoires dans sa classe, *Révolution* gagna le championnat du RORC pour la première fois cette année-là et recommença l'année suivante, remportant également les trophées Yacht of the Year et Alan Paul.

En 1978, *Révolution* ne courut que quatre courses, le Cervantes Trophy, le Du Guingand Bowl, la Morgan Cup et la Channel Race, mais il les gagna toutes. Cela lui permit d'être à nouveau champion du RORC en classe II et de gagner à nouveau les trophées Yacht of the Year et Alan Paul. Lorsqu'il fut sélectionné une quatrième fois pour l'Admiral's Cup en 1979, il descendit d'une classe, mais cela ne l'empêcha pas de remporter son quatrième championnat du RORC.

| Nom du bateau : | RÉVOLUTION |
|---|---|
| Nationalité à la date de la prise de vue : | France 1979 |
| Propriétaire : | J.-L. Fabry |
| Skipper : | J.-L. Fabry |
| Architecte : | Groupe Finot |
| Chantier : | Huisman |
| Matériau : | Aluminium |
| Année de construction : | 1972 |
| Longueur hors tout : | 11,81 m |
| Largeur au maître-bau : | 3,93 m |
| Tirant d'eau : | 2,03 m |
| Rating : | 29,5 pieds IOR |
| Voilerie : | Banks |

# Roger & Gallet

| Nom du bateau : | ROGER & GALLET |
|---|---|
| Nationalité à la date de la prise de vue : | France 1986 |
| Propriétaire : | Roger & Gallet |
| Skipper : | E. Loizeau |
| Architecte : | S. Langevin |
| Chantiers : | ACX/Maas Hurel |
| Matériaux : | Sandwich Airex/carbone/ nid d'abeille |
| Année de construction : | 1984 |
| Longueur hors tout : | 23 m |
| Longueur à la flottaison : | 20 m |
| Largeur : | 12,50 m |
| Déplacement : | 6,4 t |
| Rating : | Multicoque de Formule I |
| Voileries : | Technique Voiles/Crudennec |
| Surface de voiles : | 327 m² |

Dans leur recherche d'une vitesse toujours plus grande au large, les Français en sont vite arrivés à se demander s'il valait mieux avoir deux ou trois coques. Si au départ le trimaran s'est imposé pour des raisons de sécurité, le potentiel de vitesse du catamaran a permis à celui-ci de revenir en force, gagnant peu à peu en taille mais aussi en sophistication, ce qui fit rapidement croître les vitesses de pointe.

Le record transatlantique de *Royale* qui battait celui de *Jet Services* montra qu'il était possible de maintenir une vitesse élevée pendant longtemps. Et à la façon dont progressent ces bateaux, même les 524 milles en 24 heures, record établi en ligne droite, de Mike Birch sur *Formule Tag* risquent de ne pas tenir très longtemps. *Roger & Gallet* détient lui un autre record établi sur une plus courte distance, mais qui n'en est pas moins significatif pour autant. Il s'agit du tour de l'île de Wight par l'est établi pendant le Grand Prix des Multicoques de Southampton de 1986 en 4 heures juste. Le lendemain, Loizeau battit son propre record en bouclant le parcours en 3 heures 42 minutes et 5 secondes.

Les différentes parties de la coque de cet étonnant bateau ont été construites dans des usines différentes, puis assemblées à Brest. La poutre centrale est l'œuvre d'une usine aéronautique de Paris qui a cuit les fibres dans un autoclave, tandis que les coques réalisées dans un sandwich de mousse Airex et de fibres de carbone viennent de Hollande. Il en résulte le catamaran de cette taille le plus léger jamais construit et c'est certainement cette attention minutieuse au gain de poids de la part de l'architecte Silvestre Langevin qui a permis à *Roger & Gallet* d'atteindre de telles vitesses. Après tout, n'était-ce pas Uffa Fox qui a remarqué un jour que le poids ne servait à rien sauf sur un rouleau compresseur ?

Lors du Tour de l'Europe de 1987, pendant l'étape Lorient-Vilamoura, *Roger & Gallet* a chaviré dans le gros temps au large du cap Finisterre en Espagne. Fort heureusement, tous les équipiers s'en sont tirés sains et saufs et la coque a pu être récupérée.

# *Royale*

Depuis que l'homme a délaissé la pagaie de son coracle pour se laisser emporter par le vent de l'autre côté de la rivière, il est fasciné par la vitesse à la voile, une fascination qui trouve aujourd'hui son point culminant dans le record de la traversée de l'Atlantique établi entre le phare d'Ambrose à l'entrée du port de New York et le cap Lizard à l'extrémité sud-ouest des Cornouailles. Le record en 12 jours et 4 heures de Charlie Barr avec la goélette *Atlantic* a tenu pendant soixante-quinze ans jusqu'à ce qu'arrivent les multicoques qui pouvaient dépasser les 10 nœuds de moyenne.

En 1984, Patrick Morvan avait élevé celle-ci à 15,16 nœuds sur son catamaran de 18 mètres *Jet Services*, passant le record à 8 jours 16 heures et 36 minutes. Pensant que logiquement un bateau plus grand devait aller plus vite, *Royale*, un catamaran de 25,90 mètres dessiné par les architectes du Graal, se lança dans la tentative. Lors d'un essai précédent, Mike Birch sur *Tag* avait réalisé une journée de 524 milles. En 1986, les coskippers de *Royale*, Philippe Facque et Loïc Caradec, gagnèrent New York pour y attendre une météo favorable au record.

Guidés à terre par l'ordinateur de Jean-Yves Bernot, Facque et Caradec en compagnie de quatre équipiers battirent le record de la traversée de dix-neuf heures et demie, le portant à 7 jours 21 heures et 5 minutes, soit une vitesse moyenne de 16,29 nœuds, leur meilleure journée ayant été de 468 milles, une performance vraiment magnifique. Le record est actuellement détenu par le trimaran de 22,90 mètres *Fleury Michon* en huit heures et quart de moins.

Malheureusement, un peu plus tard dans l'année, *Royale*, mené en solitaire par Loïc Caradec dans la Route du Rhum, fut retrouvé retourné à trois cents milles des côtes françaises par une concurrente de la course, Florence Arthaud. Il n'y avait aucun signe de Loïc Caradec à bord.

| Nom du bateau : | ROYALE |
|---|---|
| Nationalité à la date de la prise de vue : | France 1986 |
| Propriétaire : | Coursocean |
| Skipper : | L. Caradec/Ph. Facque |
| Architectes : | Groupe Graal |
| Chantiers : | Multiplast/Agencement Marine |
| Matériaux : | Airex/carbone/Kevlar/ tissu de verre |
| Année de construction : | 1983 |
| Longueur hors tout : | 25,90 m |
| Longueur à la flottaison : | 24,90 m |
| Largeur : | 12 m |
| Tirant d'eau : | 3 m/0,60 m |
| Déplacement : | 10 t |
| Rating : | Multicoque de Formule I |
| Voilerie : | Technique Voiles |
| Surface de voiles : | 345 m² + 65 m² de mât |

# Vagrant

| Nom du bateau : | VAGRANT |
|---|---|
| Nationalité à la date de la prise de vue : | Royaume-Uni 1987 |
| Propriétaire : | P. de Savary |
| Skipper : | D. Romcke |
| Architecte : | N. Herreshoff |
| Chantier : | Herreshoff |
| Matériau : | Bois |
| Année de construction : | 1910 |
| Longueur hors tout : | 32,50 m |
| Longueur à la flottaison : | 18 m |
| Largeur au maître-bau : | 5,50 m |
| Tirant d'eau : | 3,50 m |
| Déplacement : | 71,123 t |
| Voilerie : | North |
| Surface de voiles : | 400 m² |

La ravissante goélette de Peter de Savary que nous voyons ici portant toute sa toile pendant la Semaine de Cowes de 1987 a une histoire passionnante.

En 1910, la famille Vanderbilt demanda à Nathaniel Herreshoff, le célèbre architecte de tant de superbes yachts, y compris six defenders de la Coupe de l'America entre 1893 et 1920, de dessiner une goélette pour Harold, l'héritier de la fortune familiale. La même année, celle-ci fut lancée par le chantier de l'architecte à Bristol, Rhode Island, et gagna la Course des Bermudes.

En 1912, elle fut vendue à Hendon Chubb qui la rebaptisa *Queen Mab*. Pendant quarante ans elle changea maintes fois de propriétaire, participant entre autres entre 1953 et 1971 dans les mains de Larry Pringle et Phyllis Brunson à neuf Transpacifiques où elle se classa de façon plus qu'honorable aux côtés de bateaux comme *Ondine*, *Ticonderoga* ou *Windward Passage*.

L'année 1983 vit la goélette arriver à Antigua en fort mauvais état. Elle fut alors rachetée par Hans Lammers, un jeune Hollandais qui la restaura en partie, la rebaptisant de son nom d'origine *Vagrant* et lui fit faire du charter. Malheureusement, en 1984, elle démâta lors d'un coup de vent subit et ne parvint qu'à grand peine à regagner Antigua au moteur.

Après être restée quelque temps à pourrir au soleil, *Vagrant* fut sauvée d'une fin honteuse par Peter de Savary qui la confia au chantier d'Antigua. En vingt mois, les artisans locaux lui avaient redonné la perfection que nous pouvons voir ici grâce à des recherches dans les plans d'Herreshoff et à l'habileté de Spencer, le gréeur de Cowes. Ceux qui ont eu la chance de pouvoir visiter les aménagements de *Vagrant* vous diront qu'ils sont tout aussi beaux que son pont. On n'en attend pas moins d'un bateau du grand maître Herreshoff.

# Virgin Atlantic Challenger II (avec Royale)

Ce sont longtemps les paquebots qui ont détenu le record de la traversée de l'Atlantique, le *Queen Mary* l'établissant en 1938 à 3 jours 20 heures et 42 minutes, record qui ne sera battu que quatorze ans plus tard par *United States* en 3 jours 10 heures et 40 minutes. Mais depuis que l'avion avait remplacé le bateau il semblait que ce record ne serait jamais plus amélioré.

C'était compter sans Richard Branson, un homme d'affaires quelque peu aventurier et passionné de défis. Il fit une première tentative sur un catamaran de 19,80 mètres en compagnie du champion de course motonautique Ted Toleman, mais celle-ci se termina à 138 milles, soit environ trois heures, des Scillies lorsque *Virgin Atlantic Challenger* heurta une épave dérivante et coula. Légèrement refroidi, Branson était pourtant prêt à repartir, mais cette fois Toleman ne pouvait être du voyage, car le chantier Cougar qu'il dirige avait pris en commande deux 12 Mètres en aluminium pour le défi britannique pour la Coupe de l'America. Cela ne découragea pas Branson qui se fit construire un monocoque de 22 mètres chez Brooke Marine et repartit pour un nouveau défi.

La route fut soigneusement étudiée et les ravitaillements en carburant positionnés de façon à retarder le bateau au minimum. On s'attendait à rencontrer de la brume et des icebergs à proximité des côtes américaines, mais ce n'est que vingt-quatre heures après le départ que celle-ci tomba. Lors du second ravitaillement, de l'eau se mêla au gasoil faisant perdre sept heures et demie au bateau. Comme il n'y avait pas suffisamment de filtres à carburant à bord, un Nimrod de la RAF dut en parachuter avant le dernier ravitaillement.

*Virgin Atlantic Challenger II* arriva pourtant en vue de terre avec 2 heures et 9 minutes d'avance sur le record, l'établissant à 3 jours 8 heures et 31 minutes, soit une vitesse moyenne de 38,86 nœuds. Quelqu'un va maintenant devoir essayer d'atteindre les 40 nœuds. Richard Branson, peut-être ?

| Nom du bateau : | VIRGIN ATLANTIC CHALLENGER II |
|---|---|
| Nationalité à la date de la prise de vue : | Royaume-Uni 1986 |
| Propriétaire : | R. Branson |
| Skipper : | R. Branson |
| Architecte : | S. Levi |
| Chantier : | Brooke Yachts |
| Matériau : | Aluminium |
| Année de construction : | 1986 |
| Longueur hors tout : | 22,02 m |
| Longueur à la flottaison : | 17 m |
| Largeur au maître-bau : | 5,82 m |
| Tirant d'eau : | 0,91 m |
| Déplacement : | 31,5 t |
| Moteurs : deux turbos V12 396 TB 93 de MTU | |
| Puissance : | 2 000 CV chacun |

# Rucanor Tri Star

| Nom du bateau : | RUCANOR TRI STAR |
|---|---|
| Nationalité à la date de la prise de vue : | Belgique 1985 |
| Propriétaire : | Rijswijk/Rucanor Tri Star |
| Skipper : | G. Versluys |
| Architecte : | G. Ribadeau-Dumas |
| Chantier : | F. Maas |
| Matériaux : | Kevlar/balsa/carbone |
| Année de construction : | 1985 |
| Longueur hors tout : | 17,66 m |
| Longueur à la flottaison : | 14,10 m |
| Largeur au maître-bau : | 4,90 m |
| Tirant d'eau : | 2,95 m |
| Déplacement : | 15,559 t |
| Rating : | 45,6 pieds IOR |
| Voilerie : | Hood |
| Surface de voiles : | 170 m² |

Lors de la troisième Whitbread, Gustaaf Versluys s'était véritablement traîné autour du monde sur *Croky*, le plus petit bateau de la course avec ses 13,10 mètres. Bien décidé à ne pas répéter l'expérience pour l'édition suivante, il avait très tôt réussi à convaincre le fabricant d'équipements de sport Rucanor de le commanditer.

L'entreprise commanda les plans du bateau à Guy Ribadeau-Dumas et la construction au chantier Frans Maas à Breskens. Par ailleurs, c'était un bateau entièrement belge, de déplacement relativement léger avec un rating le plaçant au sommet de la classe D.

Ribadeau-Dumas avait introduit dans ses plans une voûte à géométrie variable inclinable pour le près à l'aide d'un système à air comprimé. Malheureusement, en janvier 1985 alors que la construction était presque terminée, l'Offshore Racing Council avait informé les propriétaires qu'il refusait d'homologuer cet appendice novateur et, pour la Whitbread, la voûte dut être fixée dans une position déterminée. Le bateau comportait également une quille et un safran à profil elliptique, un bulbe d'une tonne ayant été rajouté à la quille avant le départ pour augmenter la stabilité au près.

C'est dans la première étape que le bateau se comportera le plus mal, terminant dixième sur quatorze. Mais par la suite il réalisera quelques performances impressionnantes. Se classant respectivement cinquième, troisième et cinquième des trois étapes suivantes, il terminera premier de la classe D et cinquième au classement général, à vingt-neuf heures d'*UBS Switzerland* en temps compensé. C'est l'un des rares bateaux à n'avoir pratiquement pas modifié son équipage pendant toute la course, embarquant seulement un équipier supplémentaire pour chacune des étapes courues en Atlantique. Lors de la première étape il s'agissait du directeur général de l'entreprise, Bastiaan van Rijswijk, très impliqué dans le projet dès le départ.

B-763
SAILING FOR FLANDERS
HET LAATSTE NIEUWS
Rucanor TriStar
Polymers

# Sabina

*Sabina*, sur plans Jac de Ridder, fut mis à l'eau en 1981. Cette année-là, ne réussissant pas à se qualifier dans l'équipe allemande pour la Sardinia Cup, il courut dans l'équipe autrichienne. Construit en aluminium par Wolter Huisman, il améliora continuellement ses performances, à tel point que l'année suivante c'est lui qui totalisa le plus grand nombre de points des trois bateaux de l'équipe allemande qui remporta l'Admiral's Cup, se classant second de la Channel Race et quatrième du Fastnet.

J'estime que dans ces courses les bateaux ne courent pas assez en équipe et nous voyons ici un très bon exemple de la façon dont cela peut se pratiquer. *Sabina* s'est positionné juste derrière *Outsider* qui est un peu plus rapide au portant et se fait entraîner à la même vitesse tandis qu'ils rejoignent l'Australien *Once More Dear Friends* en traversant le Solent à la hauteur de Lepe Beach où ils vont rencontrer une mer plus calme.

En rattrapant *Once More Dear Friends*, les deux bateaux allemands peuvent monter à son vent et le ralentir en le déventant. Puis, lorsqu'ils seront vraiment tout près, ils devront choisir le bon moment pour passer sur sa hanche sous le vent, ce qui leur permettra d'établir ensemble un engagement à l'intérieur à la prochaine bouée et de gagner ainsi quatre points.

De plus, en ralentissant *Once More Dear Friends*, ils l'empêcheront de continuer à déventer leur coéquipier *Pinta*, lui permettant ainsi de se dégager pour sauver son handicap. En 1983, les Allemands ont vraiment montré leur connaissance parfaite des avantages qu'il y a à courir en équipe.

| Nom du bateau : | SABINA |
|---|---|
| Nationalité à la date de la prise de vue : | RFA 1983 |
| Propriétaire : | H. Noach |
| Architecte : | J. de Ridder |
| Chantier : | Huisman |
| Matériau : | Aluminium |
| Année de construction : | 1981 |
| Longueur hors tout : | 12,20 m |
| Largeur au maître-bau : | 3,69 m |
| Tirant d'eau : | 2,27 m |
| Déplacement : | 6,04 t |
| Rating : | 30 pieds IOR |

# Sayula II

| Nom du bateau : | SAYULA II |
|---|---|
| Nationalité à la date de la prise de vue : | Mexique 1977 |
| Propriétaire : | R. Carlin |
| Skipper : | R. Carlin |
| Architecte : | Sparkman & Stephens |
| Chantier : | Nautor |
| Matériau : | Polyester |
| Année de construction : | 1972 |
| Longueur hors tout : | 19,75 m |
| Longueur à la flottaison : | 14,33 m |
| Largeur au maître-bau : | 4,98 m |
| Tirant d'eau : | 2,82 m |
| Déplacement : | 25,569 t |
| Rating : | 46,8 pieds IOR |
| Voilerie : | Hood |
| Surface de voiles : | 166,94 m² |

Le 24 novembre 1973 pendant la première Course autour du monde, *Sayula II* était presque exactement à mi-chemin entre Cape Town et Sydney vers 48° 20' S., 90° 37 'E. quand, comme l'écrivit Butch Dalrymple-Smith, « il n'est pas possible de décrire exactement ce que l'on ressent lorsque tout votre univers passe en quelques instants d'un confortable microcosme civilisé à une véritable épave ». *Sayula II* avait sanci !

Pour Dalrymple-Smith, l'album de Led Zeppelin, *Houses of the Holy*, sera lié à jamais à ce souvenir. Il venait de mettre la cassette lorsqu'il entendit « un craquement épouvantable et le côté de la coque fut projeté vers moi ».

*Sayula II* se trouvait dans le creux d'une lame lorsque sa crête déferlante a soulevé l'arrière. Comme l'avant s'accrochait à l'eau et que l'arrière se trouvait dans l'écume qui retombait, le bateau a dérapé pour se retrouver en travers à la lame qui a éclaté à ce moment-là. Il est brusquement tombé avant de venir heurter l'eau pratiquement la quille en l'air. Les deux équipiers qui se trouvaient dans le cockpit ont été éjectés, retenus au bateau seulement par leur harnais, mais aussi surprenant que cela puisse paraître lorsque *Sayula* s'est redressé les mâts étaient toujours là. En fait, et c'est tout à l'honneur du constructeur, Nautor Oy, le Swan 65 n'avait pratiquement aucune avarie. A part un hublot fendu, la perte de deux compas et quelques pièces de mât endommagées, *Sayula II* était intact.

Dalrymple-Smith et Keith Lorence ne furent pas longs à rentrer les deux seules voiles à poste, tourmentin et trinquette, pendant que le reste de l'équipage s'affairait à remettre un peu d'ordre à l'intérieur, assez surpris que les dégâts ne soient pas plus importants. Ce n'est que douze heures plus tard que les deux mêmes voiles seront renvoyées. Dès le lendemain, le bateau sera à nouveau sous spi, mais il faudra quand même une bonne semaine à l'équipage pour se remettre de ses émotions et se considérer à nouveau en course. Cela n'empêchera pas *Sayula II* de gagner la seconde étape, prenant ainsi la tête du classement qu'il conservera jusqu'à l'arrivée à Portsmouth le dimanche de Pâques de 1974.

# *Scoundrel*

| Nom du bateau : | SCOUNDREL |
|---|---|
| Nationalité à la date de la prise de vue : | Royaume-Uni 1980 |
| Propriétaire : | B. Owen |
| Skipper : | B. Owen |
| Architecte : | G. Frers |
| Chantier : | Nautor |
| Matériau : | Polyester |
| Année de construction : | 1981 |
| Longueur hors tout : | 15,62 m |
| Longueur à la flottaison : | 12,92 m |
| Largeur au maître-bau : | 4,37 m |
| Tirant d'eau : | 2,71 m |
| Déplacement : | 16,507 t |
| Rating : | 40,2 pieds IOR |
| Voilerie : | North |
| Surface de voiles : | 148 m² |

Délaissant Sparkman & Stephens pour la nouvelle vague d'architectes, Nautor a commencé, notamment avec le Swan 51, un plan German Frers issu du fameux *Blizzard*, à produire des bateaux de course aménagés pour la croisière. *Scoundrel* à Bruce Owen, mis à l'eau en 1981, fut l'un des premiers.

Être propriétaire d'un Swan ou faire partie d'un équipage de Swan a de nombreux avantages, entre autres celui de pouvoir participer à quelques régates fort agréables qui leur sont exclusivement réservées et qui se déroulent bien sûr dans les sites les plus enchanteurs, Porto Cervo, les Antilles ou même Cowes. D'ailleurs, ce sont sans doute les courses qui proportionnellement attirent le plus de participants. Je m'explique : en 1986 six bateaux se sont inscrits pour la Rolex World Cup de Porto Cervo sans se présenter sur la ligne de départ, leur propriétaire désirant seulement pouvoir assister aux réceptions réservées aux seuls coureurs !

Quatre ans avant ce charmant exemple d'arrivisme, Bruce Owen avait emmené *Scoundrel* à Porto Cervo et en était revenu avec la récompense maximale, la Coupe du monde Rolex-Swan.

# Windward Passage

Il n'y a jamais eu, et il n'y aura sans doute jamais, de bateau de course au large qui soit l'objet d'une affection aussi grande que celle dont jouit *Windward Passage*, ce plan d'Alan Gurney de 22,25 mètres.

*Windward Passage* a été construit sur une plage de la Grande Bahama dans le plus beau des matériaux, le bois, par Charlie Tuttle qui seize ans après l'avoir terminé s'est marié à bord dans le port de Sydney. L'équipage assistait à la cérémonie en uniforme, ce qui fera dire au navigateur Peter Bowker : «C'est bien la première fois que je vais à un mariage en short!»

*Windward Passage* a été dessiné à une époque où la limite de longueur hors tout des maxis était à 73 pieds (22,25 mètres) et où, la technologie ne permettant pas d'envisager l'utilisation d'un seul mât, il était nécessaire de recourir au gréement de ketch. Depuis sa mise à l'eau, c'est un bateau qui s'est toujours battu pour les honneurs de la ligne. Chacun de ses trois propriétaires s'est attaché à ce qu'il vieillisse bien, en rénovant constamment son équipement et en lui donnant une nouvelle jeunesse le jour où il a pu être gréé en sloop. A partir de ce moment il a pu courir avec les autres maxis, car son âge et la règle IOR IIIA lui permettaient de conserver un rating inférieur à 70 pieds IOR. La jauge n'est pas clémente pour ce type de carène et avec raison dans la mesure où *Windward Passage* est rapide à toutes les allures.

J'aimerais vous donner un exemple de l'amour qu'on lui porte. *Windward Passage* se trouvait un jour dans la marina du Yacht Club de Saint-Petersburg en attente d'être vendu et l'air un peu abandonné. C'était plus que n'en pouvaient supporter un groupe de personnes qui avaient couru à bord. Un après-midi, ils prirent des brosses et des seaux et briquèrent le pont jusqu'à ce qu'il redevienne ce qu'il n'aurait jamais dû cesser d'être à leurs yeux : impeccable.

| Nom du bateau : | WINDWARD PASSAGE |
|---|---|
| Nationalité à la date de la prise de vue : | États-Unis 1978 |
| Architecte : | A. Gurney |
| Constructeur : | C. Tuttle |
| Matériau : | Bois |
| Longueur hors tout : | 22,25 m |
| Longueur à la flottaison : | 19,81 m |
| Largeur au maître-bau : | 5,89 m |
| Tirant d'eau : | 3,05 m |
| Déplacement : | 36,287 t |
| Surface de voiles : | 232,26 m² |

# Sleeper

| Nom du bateau : | SLEEPER |
| --- | --- |
| Nationalité à la date de la prise de vue : | États-Unis 1985 |
| Propriétaire : | L. North |
| Skipper : | L. North |
| Architectes : | Nelson/Marek |
| Chantier : | J. Betts Enterprises |
| Matériaux : | Tissu de verre qualité E et S |
| Année de construction : | 1984 |
| Longueur hors tout : | 12,71 m |
| Longueur à la flottaison : | 10,21 m |
| Largeur au maître-bau : | 4,04 m |
| Tirant d'eau : | 2,28 m |
| Déplacement : | 7,525 t |
| Rating : | 32,8 pieds IOR |
| Voilerie : | North |
| Surface de voiles : | 94,70 m² |

Lorsqu'un voilier de renommée internationale vend son entreprise, toute la profession est au courant. Quand ensuite il décide de se faire construire un bateau de course plutôt que de continuer à courir sur celui des autres comme il le fait depuis de nombreuses années, tout le monde veut savoir sur quoi s'est porté son choix. C'est en tout cas ce qui s'est passé quand Lowell North a fait construire *Sleeper*.

Comme il vit à San Diego en Californie, il ne lui fallait pas très longtemps pour aller jusqu'aux bureaux des architectes Nelson-Marek, au 2820 Canon Street pour discuter du projet. De plus en plus réputés, ceux-ci venaient d'inscrire plusieurs victoires à leur palmarès. Choisissant un bateau IOR, Lowell North pensait bien sûr à l'Admiral's Cup. Les critères de sélection pour l'équipe américaine imposant une limite maximum de 33,5 pieds de rating, son choix se porta sur un bateau de 12,71 mètres et 32,8 pieds de rating IOR.

Avec un gréement fractionné et un déplacement de 7,5 tonneaux, son arrière large lui donne des performances impressionnantes au portant qui lui ont permis de ne jamais quitter les premières places du SORC en 1985 et 1986 et, à Newport, d'être tout naturellement sélectionné pour l'équipe de l'Admiral's Cup.

Mais, de ce côté-ci de l'Atlantique, les choses ne se sont pas passées aussi bien pour le bateau à coque bleu-gris. Après s'être mis au plain lors du premier triangle olympique, il perdit sur une réclamation les quelques points qu'il avait réussi à gagner. Par contre, dans la troisième *inshore* de Christchurch Bay où l'équipe américaine semblait avoir trouvé sa mesure, *Sleeper* se classera quatrième *ex æquo* avec le bateau danois *Euro* tandis que les deux autres Américains *High Roler* et *Sidewinder* termineront respectivement troisième et sixième.

# UBS Switzerland

Pour Pierre Fehlmann, courir la Whitbread pour la troisième fois ne pouvait se faire que sur un bateau jouissant de la meilleure image auprès du grand public, c'est-à-dire susceptible de couper la ligne le premier et par là même d'apporter le maximum de publicité à ses sponsors. Il ne pouvait donc s'agir que d'un maxi.

Il commença par prendre contact avec Bruce Farr qui avait déjà dessiné son bateau de l'édition précédente, puis avec le chantier Decision SA de Genève en lui demandant de faire à la fois aussi léger et aussi solide que possible. Travaillant sur des programmes de simulation informatique où avaient été entrées les probabilités de force de vent et d'allures tout au long du parcours, Fehlmann et Farr firent « tourner » douze variations possibles du dessin. L'une de ces versions ayant terminé le tour du monde avec huit heures d'avance sur les autres devint tout naturellement *UBS Switzerland*.

Pour la construction on choisit une peau extérieure en Kevlar sur une âme en Nomex, le tout tenu par un squelette en aluminium pour reprendre les compressions de la quille et du gréement. Déplaçant 28,5 tonnes et avec une quille équipée d'un bulbe à écoulement laminaire, le bateau, tout en ayant la plus grande longueur à la flottaison de la flotte, avait la plus faible surface mouillée des maxis de la course. Il fut mis à l'eau à Monaco, ayant été transporté depuis Genève par avion, dans un Super Guppy.

Ayant terminé quatrième de ses deux précédentes Courses autour du monde, on peut penser qu'avec *UBS Switzerland* Fehlmann a comblé pratiquement tous ses rêves. Se classant premier à Cape Town, puis troisième à Auckland à seulement deux heures du premier, il terminera à nouveau premier de la troisième étape et pulvérisera tous les records dans la dernière en arrivant à Portsmouth avec quarante heures d'avance sur le second, soit 4 jours et 16 heures de mieux que *Lion New Zealand* et 2 jours et 16 heures de mieux que le record de *Flyer*. Et pourtant en temps compensé il n'était toujours que quatrième !

| Nom du bateau : | UBS SWITZERLAND |
|---|---|
| Nationalité à la date de la prise de vue : | Suisse 1985 |
| Propriétaire : | M. Burckhardt |
| Skipper : | P. Fehlmann |
| Architecte : | B. Farr |
| Chantier : | Decision SA |
| Matériaux : | Kevlar/Nomex/epoxy |
| Année de construction : | 1985 |
| Longueur hors tout : | 24,50 m |
| Longueur à la flottaison : | 19,50 m |
| Largeur au maître-bau : | 5,45 m |
| Tirant d'eau : | 4,08 m |
| Déplacement : | 28,544 t |
| Rating : | 69,4 pieds IOR |
| Voilerie : | Hood |
| Surface de voiles : | 269 m² |

# Sumurun et Velsheda

Encore bêtes de course malgré leur grand âge, *Sumurun* et *Velsheda* sont deux bateaux qui ont trouvé une nouvelle jeunesse grâce à une restauration faite avec amour. Tous deux ont couru la Semaine de Cowes de 1986 et se sont battus bord à bord jusqu'à la tour Nab et retour, *Sumurun* l'emportant finalement.

Dessiné et construit en 1914 par Fife of Scotland pour Lord Sackville, *Sumurun* qui fait presque 29 mètres de long était gréé à l'origine en yawl aurique. A l'époque, c'était un yacht de croisière rapide, certainement ce qui se faisait de mieux dans ce domaine. Il a pris part à de nombreuses courses, notamment contre son quasi-sister-ship *Rendezvous* et contre *Britannia* et *Westward*. Soixante-dix ans après son lancement, il a gagné l'Atlantic Cup à Newport lors de la Classic Yacht Regatta.

La coque et le pont de *Sumurun* sont en teck sur membres et baux de chêne sciés, un type de construction assuré de tenir une sinon deux générations. Le rouf et les boiseries extérieures sont en teck verni, alors qu'à l'intérieur toutes les boiseries sont en chêne du Japon. Il est actuellement équipé de tout le confort moderne, congélateurs, dessalinisateur et ce qui se fait de mieux en matière d'instruments électroniques. Après cette restauration où aucun frais n'a été considéré superflu, *Sumurun* peut être loué en charter.

Construit par Camper & Nicholson pour William Stephenson en 1933, *Velsheda* n'était plus qu'une carcasse d'acier en train de pourrir lorsqu'en 1979 Terry Brabant le racheta avec la ferme intention de remettre le Classe J dans son état d'origine ou tout au moins de s'en approcher le plus possible, tout en avouant franchement n'en avoir absolument pas les moyens.

Le bateau se trouvait sur un slip au bord de l'Itchen juste en face du chantier où il avait été construit et c'est là que Brabant se lança dans cette tâche apparemment impossible avec l'aide de quelques artisans. Il remplaça la presque totalité des tôles de la coque et construisit sous celle-ci une quille d'acier creuse qui fut remplie avec des lingots de plomb, les interstices étant ensuite bouchés en y coulant lentement du plomb fondu. Cela permit d'éviter l'opération fort onéreuse d'avoir à couler une quille moulée, l'ancienne ayant été vendue au poids du plomb par les précédents propriétaires qui utilisaient la coque comme maison.

Mais le projet finit tout de même par aboutir et cinquante années jour pour jour après la date de son premier lancement, *Velsheda* (un nom formé des premières syllabes du nom des trois filles de Stephenson, Velma, Sheila et Daphne) retrouvait à nouveau son élément. Toujours sans moteur, il navigue partout uniquement à la voile, utilisant de temps à autre l'assistance d'un bateau à moteur pour rejoindre un quai ou un mouillage. On peut aussi le louer en charter et s'assurer ainsi une moisson de souvenirs inoubliables.

| Nom du bateau : | SUMURUN |
|---|---|
| Nationalité à la date de la prise de vue : | États-Unis 1986 |
| Propriétaire : | A. Towbin |
| Skipper : | J. Mills |
| Architecte : | W. Fife |
| Constructeur : | W. Fife |
| Matériaux : | Teck sur chêne |
| Année de construction : | 1914 |
| Longueur hors tout : | 28,96 m |
| Longueur à la flottaison : | 20,73 m |
| Largeur au maître-bau : | 5,03 m |
| Tirant d'eau : | 3,96 m |
| Déplacement : | 79,251 t |
| Voilier : | A. Cario |
| Surface de voiles : | 325,15 m² |

| Nom du bateau : | VELSHEDA |
|---|---|
| Nationalité à la date de la prise de vue : | Royaume-Uni 1985 |
| Propriétaire : | T. Brabant |
| Architecte : | C. Nicholson |
| Chantier : | Camper & Nicholson |
| Matériau : | Acier |
| Année de construction : | 1933 |
| Longueur hors tout : | 38,83 m |
| Longueur à la flottaison : | 25,30 m |
| Largeur au maître-bau : | 6,40 m |
| Tirant d'eau : | 4,57 m |
| Déplacement : | 145, 294 t |
| Rating : | Classe J |
| Voilerie : | Ratsey & Lapthorn |
| Surface de voiles : | 700,65 m² |

# Victory '83

*Victory '83* est le second 12 Mètres de l'architecte Ian Howlett, commandé par Peter de Savary pour le défi du Royal Burnham Yacht Club et construit à Hamble par le chantier Fairey-Allday.

Pendant une bonne partie des entraînements à Newport, la quille a été l'objet d'essais constants en y rajoutant des ailettes, pas de ces énormes ailettes de plomb qui eurent un effet important sur la stabilité et la vitesse d'*Australia II*, mais des ailettes en bois, lestées pour leur donner une flottabilité négative. On les montait dans le plus grand secret pendant la nuit pour le plus souvent les démonter la nuit suivante. Mais Howlett avait reçu pour elles une autorisation confidentielle de l'IYRU et lorsque Alan Bond dut se battre avec le New York Yacht Club pour imposer la légalité de celles d'*Australia II*, de Savary révéla cet accord, apportant ainsi une aide considérable à Bond.

D'ailleurs, *Victory '83* et *Australia II* s'étaient retrouvés face à face lors de la finale des challengers de l'America Cup lors de laquelle *Victory*, skippé par Lawrie Smith, avait gagné la première régate mais perdu les quatre suivantes. Peu de temps après, le bateau avait été vendu au Consorzio Italia qui en avait fait la base de son premier challenge.

L'année suivante, *Victory '83* courra le Championnat du monde des 12 Mètres à Porto Cervo et battra *Azzura* dans la finale du match-racing. Il servira ensuite à l'entraînement de l'équipage italien et courra à nouveau le Championnat du monde de 1986 au large de Fremantle où il démâtera. Mais le bateau ayant été dessiné et construit en Grande-Bretagne, il ne put être challenger officiel italien pour la Coupe de 1987 et fut remplacé par *Italia*.

| Nom du bateau : | VICTORY '83 |
|---|---|
| Nationalité à la date de la prise de vue : | Italie 1986 |
| Propriétaire : | Consorzio Italia |
| Architecte : | I. Howlett |
| Chantier : | Fairey-Allday |
| Matériau : | Aluminium |
| Année de construction : | 1983 |
| Longueur hors tout : | 19,81 m |
| Longueur à la flottaison : | 13,72 m |
| Largeur au maître-bau : | 3,76 m |
| Tirant d'eau : | 2,67 m |
| Déplacement : | 25,401 t |
| Rating : | 12 M JI |
| Surface de voiles : | 200 m² |

# *Whirlwind VIII*

| Nom du bateau : | WHIRLWIND VIII |
|---|---|
| Nationalité à la date de la prise de vue : | Royaume-Uni 1981 |
| Propriétaire : | N. Lister |
| Skipper : | N. Lister |
| Architecte : | Sparkman & Stephens |
| Chantier : | Nautor |
| Matériau : | Polyester |
| Année de construction : | 1981 |
| Longueur hors tout : | 23,30 m |
| Longueur à la flottaison : | 18,96 m |
| Largeur : | 5,73 m |
| Tirant d'eau : | 2,27 m |
| Déplacement : | 48,418 t |
| Rating : | 56 pieds IOR |
| Voilerie : | Hood |
| Surface de voiles : | 250,50 m² |

Il est difficile de parler de production en série pour des bateaux de plus de 23 mètres. On imagine bien que dans ces tailles chaque propriétaire a des desiderata différents et on voit mal un chantier ne faisant pas tout pour satisfaire ces exigences, surtout lorsque cinq unités seulement sortent du même moule.

C'est pour sa société de charter que Noel Lister a commandé *Whirlwind VIII* qui a été très souvent loué à la direction de MFI pour une série de « raids » en Grèce et en Turquie. Le programme comprenait, en plus de la navigation, de la plongée, de la varappe et des exercices d'orientation, tout cela mené par le skipper Bill Porter (surnommé le « Seigneur du Horn » parce qu'il est le seul à l'avoir passé trois fois en course en quatre ans) avec la poigne d'un adjudant en retraite, tandis que sa femme Maggie s'activait derrière les fourneaux. Les participants à ces cours se sont toujours déclarés fort satisfaits, mais il serait difficile de ne pas l'être quand on est entouré d'un tel confort et d'un tel luxe.

*Whirlwind VIII* est le septième Swan de Lister. Il navigue en Méditerranée, sur la côte Est des États-Unis et aux Antilles où il a couru la Semaine d'Antigua.

La carène des Swan 76 est issue de celle de *Kialoa III*, un bateau qui s'est couvert de lauriers en course et que Jim Kilroy a par la suite fait transformer pour la croisière sur le modèle des Swan, gardant pourtant le gréement de sloop qu'il avait eu à la fin de sa carrière en course, alors qu'initialement il était, comme *Whirlwind VIII*, gréé en ketch, ce qui le rendait extrêmement maniable.

# War Baby et Volador

*War Baby* est l'un des derniers grands voiliers classiques dessinés à la fois pour la course et la croisière par le cabinet d'architectes navals Sparkman & Stephens. Il a connu de nombreux succès en course avant de partir pour l'une des croisières les plus audacieuses jamais entreprises par un yacht puisqu'elle l'a mené des glaces de l'Arctique à celles de l'Antarctique.

Lorsque en 1972, Palmer Johnson a construit ce bateau de 18,75 mètres en aluminium, il portait le nom de *Dora IV*. Quelques années plus tard Ted Turner le louera pour courir le SORC, mais le bateau lui plaira tellement qu'il finira par l'acheter pour continuer à le faire courir sous le nom de *Tenacious*. Lors du fameux Fastnet de 1979, Turner conservera tout dessus, ce qui lui permettra de terminer avec trois heures et demie d'avance sur le second en temps compensé.

On imagine la valeur qu'une victoire pareille peut avoir pour un équipage. Celle-ci n'en sera que plus grande encore pour le navigateur Peter Bowker qui avait déjà à son palmarès et au même poste Sydney-Hobart sur *American Eagle* à Turner en 1972 et dix-huit mois plus tard la Course des Bermudes sur *Scaramouche* à Chuck Kirsch. Un triplé unique des grandes classiques que les deux skippers commémoreront six mois plus tard en Floride en lui remettant le Golden Dividers Trophy*.

C'est lors de la Semaine d'Antigua de 1986 que nous voyons ici *War Baby*, en compagnie de *Volador*, un plan German Frers de 24,30 mètres construit en aluminium par Wolter Huisman pour Horst Homberg. L'intérieur, d'un luxe impressionnant, est en teck et cuir, sur plans de Peter Beeldsnigder. Ce bateau magnifique est parti un jour pour l'Australie, mais Homberg manquait de temps pour en profiter et le vendit. Il le regrette maintenant, mais le dernier à s'en plaindre est certainement son propriétaire actuel, le Texan Charles Butt qui l'utilise en croisière aux Antilles et sur la côte Est des États-Unis.

\* Trophée du Compas à pointes sèches en or (N.d.T.)

| Nom du bateau : | WAR BABY |
|---|---|
| Nationalité à la date de la prise de vue : | Bermudes 1983 |
| Propriétaire : | W. Brown |
| Skipper : | W. Brown |
| Architecte : | Sparkman & Stephens |
| Chantier : | Palmer Johnson |
| Matériau : | Aluminium |
| Année de construction : | 1972 |
| Longueur hors tout : | 18,74 m |
| Longueur à la flottaison : | 14,02 m |
| Largeur au maître-bau : | 4,82 m |
| Tirant d'eau : | 2,74 m |
| Déplacement : | 14,612 t |
| Rating : | 45,6 pieds IOR |
| Voilerie : | Hood |
| Surface de voiles : | 144 m² |

| Nom du bateau : | VOLADOR |
|---|---|
| Nationalité à la date de la prise de vue : | États-Unis 1986 |
| Propriétaire : | C. Butt |
| Architecte : | G. Frers |
| Chantier : | Huisman |
| Matériau : | Aluminium |
| Année de construction : | 1982 |
| Longueur hors tout : | 24,31 m |
| Longueur à la flottaison : | 19,48 m |
| Largeur au maître-bau : | 5,84 m |
| Tirant d'eau : | 3 m |
| Déplacement : | 37,511 t |
| Voilerie : | Hood |
| Surface de voiles : | 221,7 m² |

# Yellowdrama IV

La légende raconte que Ken Cassir n'a acheté ce Swan 57 que parce qu'il en avait assez que John Irving l'appelle toutes les cinq minutes pour lui dire que c'était le bateau idéal pour lui. Que ce soit vrai ou pas, Cassir n'a jamais eu à le regretter.

*Yellowdrama IV* est l'un des cinquante Swan 57 sur plans Sparkman & Stephens construits depuis 1977. C'est un bateau qui a couru toutes les régates «pas sérieuses» du monde. On le voit ici savourant les plaisirs de la Semaine d'Antigua qui se déroule chaque année à la fin de la saison de charter aux Antilles et où le soleil et la brise toujours au rendez-vous donnent aux concurrents quelque chose à faire entre les «parties», où enfin les battants peuvent donner leur véritable mesure. Car qu'est-ce qu'un véritable coureur de la Semaine d'Antigua sinon quelqu'un qui connaît les proportions parfaites du cocktail rhum-huile de bronzage? En cette matière, les équipiers de *Yellowdrama IV* n'ont rien à apprendre de personne, comme ils n'eurent rien à apprendre non plus lors de la première Swan World Cup disputée à Porto Cervo en 1980 où *Yellowdrama IV* remporta le Concours d'Élégance.

En fait, c'est un bateau qui n'a apporté à son propriétaire que des satisfactions comme il le prouvera en commandant également chez Nautor son bateau suivant, un Swan 651.

Les Swan 57 ont beau se ressembler, ils ne visent pas tous le même genre de récompense. J'en veux pour preuve la participation de deux d'entre eux à la Whitbread, l'un *Berge Viking* à Peder Lunde, qui se classera huitième en 1981 et l'autre *Shadow of Switzerland* à Otto Zehender-Müller, onzième en 1985.

| Nom du bateau : | YELLOWDRAMA IV |
|---|---|
| Nationalité à la date de la prise de vue : | Royaume-Uni 1981 |
| Propriétaire : | K. Cassir |
| Architecte : | Sparkman & Stephens |
| Chantier : | Nautor |
| Matériau : | Polyester |
| Année de construction : | 1980 |
| Longueur hors tout : | 17,50 m |
| Longueur à la flottaison : | 13,95 m |
| Largeur au maître-bau : | 4,74 m |
| Tirant d'eau : | 2,75 m |
| Déplacement : | 19,084 t |
| Rating : | 42,8 pieds IOR |
| Surface de voiles : | 168,76 m² |

# Yeoman XXVI

| Nom du bateau : | YEOMAN XXVI |
|---|---|
| Nationalité à la date de la prise de vue : | Royaume-Uni 1986 |
| Propriétaire : | O. Aisher |
| Architecte : | G. Frers |
| Chantier : | Vision Yachts |
| Matériaux : | Nomex/Kevlar/carbone |
| Année de construction : | 1985 |
| Longueur hors tout : | 13,53 m |
| Longueur à la flottaison : | 11,02 m |
| Largeur au maître-bau : | 4,15 m |
| Tirant d'eau : | 2,90 m |
| Déplacement : | 8,278 t |
| Rating : | 35,2 pieds IOR |
| Voilerie : | North |
| Surface de voiles : | 88,45 m² |

Dernier d'une lignée prestigieuse de bateaux de course portant tous le nom de *Yeoman* et appartenant à ce grand monsieur du yachting qu'est Sir Owen Aisher, le numéro *XXVI* est un plan German Frers de 13,53 mètres construit en Kevlar et carbone sur une âme en Nomex par le chantier Vision Yachts de Cowes. Il a couru les sélections pour l'Admiral's Cup de 1985.

Par la suite, *Yeoman XXVI* courut pendant deux saisons, souvent barré par Peter Scholfield, pendant lesquelles il participa entre autres aux sélections pour l'Admiral's Cup de 1987. A cette occasion, le bateau montra souvent des qualités propres à embarrasser fortement des concurrents moins avancés en âge. A la fin de la saison 1987, il fut mis en vente pour être remplacé par *Yeoman XXVIII* qui était destiné aux «jeunes» de la famille Aisher (le numéro *XXVII* avait été pris par Robin, le fils de Sir Owen).

La lignée des *Yeoman* avait commencé en 1936 par un ketch qui gagna le Cranshaw Bowl lors du Tour de l'île de Wight de 1947, suivi deux ans plus tard par *Yeoman II*, un 6 Mètres JI. Mais c'est *Yeoman III* qui fut sans doute le plus célèbre des bateaux de Sir Owen Aisher. En effet, il gagna le Fastnet de 1951 et en deux saisons remporta cinquante-deux courses sur les soixante et une auxquelles il avait participé. Il devint par la suite le bateau de club du RORC sous le nom de *Griffin II*. Les *Yeoman IV* à *X* ainsi que les *XII* et *XIV* étaient tous des 5,50 Mètres JI. C'est d'ailleurs avec *Yeoman XIV* que Robin remporta une médaille de bronze aux jeux Olympiques de Mexico en 1968.

Pourtant, ce n'est qu'en 1975, puis en 1977 qu'un *Yeoman* sera sélectionné pour la première fois pour une équipe de l'Admiral's Cup. Il est vrai que *Griffin II* avait participé aux deux premières éditions de la Coupe. *Yeoman XX*, le fameux Kiss Kiss, se montra capable de performances étonnantes et mena l'équipe britannique à la victoire ces deux années-là.

Ce fut également le cas pour *Yeoman XXIII* en 1981.

Si les *Yeoman* sont toujours peints en vert, ou tout du moins comportent toujours un motif vert, c'est que Lady Aisher, qui a presque toujours été leur marraine, est d'origine irlandaise.

# Unbearable, Local Hero IV et Fair Lady

Pour moi, en matière de course, les *one tonners* dans la brise sont sans aucun doute le *nec plus ultra*. Les trois que nous voyons ici, *Unbearable*, *Local Hero IV* et *Fair Lady*, bien que très différents puisque deux d'entre eux sont des bateaux de série, se sont livrés à de solides empoignades lors de la Semaine de Cowes 1986, la chance les favorisant tour à tour.

*Local Hero IV* est le seul des trois à avoir été construit à l'unité. Dessiné par Philippe Briand pour Geoff Howison, il avait été modifié pendant l'hiver 85-86 après une première saison assez décevante où il avait couru aussi bien les McEwan Scottish Series sur la Clyde en Écosse que dans le Solent.

Quant à *Fair Lady*, il avait été loué pour la saison par Ernest Juer qui remarqua que c'était pour lui comme embarquer à nouveau sur un dériveur. Construit par Bénéteau, le bateau avait couru la One Ton Cup 1984 avec Éric Duchemin, puis l'année suivante une partie des éliminatoires de l'Admiral's Cup en Angleterre avec Brian Sweby avant que celui-ci ne le retire de la compétition. Mais en 1986, Juer a prouvé que le bateau était encore rapide en gagnant à la fois la Coupe Britannia et celle du New York Yacht Club, un doublé fort rarement réalisé mais qu'il réussissait pour la seconde fois.

*Unbearable* pour sa part s'appelait initialement *Framboise*. Dessiné par Nils Jepperson et construit au Danemark, il a été acheté début 1986 par Kit Hobday dont tous les bateaux ont pour nom un dérivé de « Bear » (ours).

Malheureusement, le jour où la photo a été prise est l'un de ceux où l'on se prend à souhaiter ne pas s'être levé. Passant vent arrière devant le Green, *Unbearable* était bien placé, mais un peu trop près de terre. Il fallait empanner, ce qui n'aurait dû poser aucun problème même avec un gréement fractionné, à condition de manœuvrer rapidement la bastaque. Malheureusement, celle-ci ne fut pas bordée assez vite, ce à quoi s'ajouta une survente juste au moment où la bôme passait. Nous voyons ici le résultat. Pour *Unbearable*, la course était terminée pour la journée et il y avait pas mal de travail à faire avant qu'il puisse à nouveau se présenter sur la ligne de départ.

| Nom du bateau : | UNBEARABLE |
| --- | --- |
| Nationalité à la date de la prise de vue : | Royaume-Uni 1986 |
| Propriétaire : | C. Hobday |
| Skipper : | C. Hobday |
| Architecte : | N. Jepperson |
| Chantier : | X-Yachts |
| Matériaux : | Tissu de verre type R/ Kevlar/carbone/mousse |
| Année de construction : | 1985 |
| Longueur hors tout : | 12,06 m |
| Longueur à la flottaison : | 10,13 m |
| Largeur au maître-bau : | 3,72 m |
| Tirant d'eau : | 2,22 m |
| Déplacement : | 5,597 t |
| Rating : | 30,6 pieds IOR |
| Voileries : | Banks/Mead |
| Surface de voiles : | 80,50 m² |